Hoffai'r Lolfa ddiolch i:

Mair Williams, Ysgol Gynradd Gymraeg Llantrisant;
Osian Maelgwyn Jones, Ysgoll Gynradd Gymraeg Plascoch;
Hefin Jones, Ysgol Gynradd Talybont, Ceredigion

Golygyddion Cyfres yr Onnen
Alun Jones a Meinir Edwards

i'r Haul Ferch godi a byseddu'i ffordd drwy'r cymylau, gan daenu ei melyn a'i horen dros bob man, fe glywch chi sŵn prydferth côr o adar yn canu i gyfarch y wawr. A dyna pam, os gwrandewch chi'n ddistaw, ddistaw bach, y clywch chi sŵn lleisiau'r Piod yn canu'n uwch, ac yn brydferthach, na neb arall.

HEDDWCH

Llais y peilot: 'Hanner awr tan ein bod ni'n glanio. Mae hi'n 10 o'r gloch ac yn argoeli'n ddiwrnod oer ond heulog yn Llundain…'

Mae pelydrau gwyn y bore'n treiddio i mewn i'r caban drwy'r ffenestri crwn. Agoraf y llen blastig a phwyso yn erbyn y gwydr.

Rhynnaf, a stwffio fy mreichiau i mewn i lewys y gardigan wlân sy'n cau am fy ysgwyddau. Teimlaf y defnydd yn crafu'n anghyfforddus yn erbyn fy nghroen – mor wahanol i gosi cynnes bysedd yr haul yn Sydney. Mae'n od meddwl fod fy myd ar fin cael ei droi ben i waered unwaith eto: o haf i aeaf. O Dad i Mam.

Dwi'n estyn am fy *rucksack* o'r llawr dan fy nhraed. Agoraf y sip a dechrau pacio fy mhethau yn siang-di-fang i mewn i'w grombil: fy nghap Nippers a'r tiwb o eli haul melyn llachar; y *boomerang* pren ges i'n anrheg Nadolig gan Mani; fy hen ddyddiadur lledr – wnaeth ddod i ben ddoe, 31 Ionawr.

Darllenaf y paragraff sy'n llenwi tudalen ola'r llyfr: pacio fy nghes a dweud hwyl fawr i fy stafell wely yn yr atig… agor clawr dyddiadur Anti Helen unwaith eto a rhoi llythyr Wncwl Frank ynddo'n ddiogel … yna gwthio'r llyfr trwchus yn bell i'r cysgodion dan y gwely, codi'r ces, a gadael. Mynd lawr stâr wedyn… rhoi cwtsh hwyl-fawr i Shirley, cusan ar foch fy chwaer, cyn cychwyn i'r maes awyr a dweud ffarwél wrth Dad.

Ffliciaf am yn ôl drwy dudalennau fy nyddiadur i, gan wylio'r geiriau'n taflunio'u hunain, fel ffilmiau ar fur fy meddwl. Mae pob eiliad mor llawn, mor fyw yn fy nghof: y Gala mawreddog ar draeth Bondi; ein cynllwynio ym mwrlwm prysur Circular Quay; siapau straeon Wncwl Frank yn y tywod; cysgu mewn *swags* o dan sêr yr anialwch; eistedd yn y caban yn y goeden yn syllu ar olau'r harbwr yn tincial yn y pellter; chwerthin gyda Breaks a Kate a Peter; teimlo tonnau Bondi'n hyrddio yn erbyn fy nghroen am y tro cyntaf; gweld Dad yn sefyll yn unig yn y maes awyr yn ei het Santa sili... a hedfan, hedfan yr holl ffordd i ben draw'r byd ar fy mhen fy hun.

Mae'r dyddiadur yn cwympo ar agor ar ddechrau'r daith. 11 Rhagfyr. Edrychaf ar y bwlch mawr gwag o dan y dyddiad coll a chofio'r gwacter oedd yn fy mywyd y diwrnod hwnnw. Cydiaf yn y ffotograff sydd wedi cael ei wasgu rhwng y tudalennau a rhwbio fy mawd yn dyner ar hyd y selotêp dros wyneb Dad. Rhwbio fy mawd dros ei groen llyfn a'i wên fawr... ei wên. Cofiaf y noson honno yn yr ysbyty, a finne'n eistedd yn yr ystafell aros yn gwrando ar y cloc yn tipian yn y tawelwch. Cofiaf Dad yn byrstio drwy'r drysau dwbl ac yn cyhoeddi fod y babi wedi cyrraedd. Ei bod hi'n iawn. Ei bod hi'n iach. Roedd yr un wên fawr ar ei wyneb bryd hynny hefyd.

Cydiaf yn y ffotograff o Mam a Dad a fi. Syllaf arno a chofio hefyd am y llun o Coreen a Kiah ac Anti Helen yn gwenu'n hapus yn yr haul.

Nid ffotograff yw bywyd.

Does dim modd rhewi'r byd i fy siwto i. Mae pethau'n newid, yn symud mlaen. Dyw pethau ddim yn syrthio i'w lle'n daclus. Dyw pethau byth yn ddu a gwyn. Gwenaf, wrth feddwl am Seb yn diolch – yn ymddiheuro – i Mani. Na, dyw bywyd byth mor syml â hynna. Dwi'n gosod y ffotograff 'nôl rhwng tudalennau'r gorffennol, yn cau'r dyddiadur, ac yn ei wthio'n ddwfn i waelod y bag. Gafaelaf yn fy loced a meddwl am y lluniau newydd, lliwgar sydd wedi'u dal ynddo heddiw – llun o Mani ar y naill ochr, a llun o Yani ar y llall. Fy nheulu newydd yn cydio'n dynn yn fy ngwddf am byth.

Yn olaf, estynnaf am fy iPod a'i ddal yn dyner yn fy llaw. Gwasgaf y botwm 'On' a gwylio'r sgrin fach yn deffro. Sgrolio. Mae Dad wedi llwytho un fideo newydd i'r peiriant, a dwi'n symud y saeth bychan dros enw'r ffeil. Yn gwasgu 'Play.'

Mae'r fideo'n llwytho ac yna'n fflician yn fyw. Dwi wedi gweld yr olygfa dro ar ôl tro yn ystod y daith yn barod, ond dyma'r tro olaf am nawr. Gwyliaf liwiau Bondi yn llenwi'r llun, wrth i'r lens symud yn araf ar hyd y traeth – heibio i'r siop hufen iâ a'r loncwyr ar y prom; heibio i'r maes parcio a'r *camper van* gwyrdd; heibio i'r Clwb Syrffio a'r dorf o rieni a phlant mewn gwisgoedd nofio a chapiau Nippers amryliw… at un teulu, un teulu yn eistedd ar fainc bren yn edrych mas dros y môr. Mae'r lens yn agosáu atynt, ac yn ffocysu ar yr wynebau cyfarwydd:

Yani: yn agor ac yn cau ei bysedd bach wrth freuddwydio; Shirley: yn chwifio llaw o ewinedd pinc; Anti Helen: yn chwerthin dros y lle – er gwaetha popeth; Dad: yn sticio'i dafod mas yn ddwl ac yn gwenu ei wên fawr, falch; a Mani. Mani: ei wallt yn storom o gyrls trwchus du a dafnau o dywod yn disgleirio ar ei groen tywyll, brown. Mani: ei drwyn smwt yn rhychu yn y gwres, ei lygaid yn cau'n gul yng ngolau'r haul. Mani: yn cydio'n dynn yn y cwpan aur ac yn ei godi'n fuddugoliaethus i awyr las.

Pwysaf fy mhen yn erbyn gwydr y ffenest unwaith eto, wrth i'r awyren blymio i mewn i'r cymylau a pharatoi i lanio.

Yr Haul Ferch

Ac wrth i'r awyr hollti, sylwodd yr anifeiliaid ar rywbeth arall rhyfeddol tu ôl i'r cymylau: merch brydferth, wedi'i haddurno â phaent melyn ag oren. Yr Haul Ferch.

Cododd yr Haul Ferch o'i gwely, gan dywallt ei phaent dros y cymylau o'i chwmpas, a throi'r awyr i gyd yn felyn ac yn oren fel ei chroen. Cododd, a chynnau fflam o olau dros y byd. Gwyliodd yr anifeiliaid wres ei thorch yn llifo drwy'r ffurfafen, yn taenu ei gwres dros y ddaear oer, ac yn deffro'r dydd. Yn deffro'r diwrnod newydd â gwawr o olau – a gobaith.

Nodyn

Rhwng 1910 a 1970 cafodd miloedd o blant fel Helen eu cymryd dan orfodaeth oddi wrth eu rhieni gan yr awdurdodau. Credir fod hyn wedi effeithio ar bob un teulu brodorol yn Awstralia.

Cyfres yr Onnen

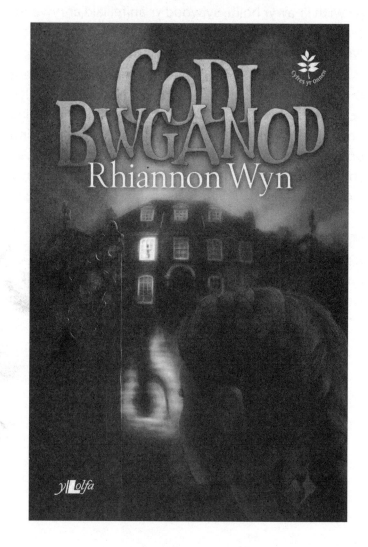

CODI BWGANOD

Rhiannon Wyn

Cyfres yr Onnen

y Lolfa

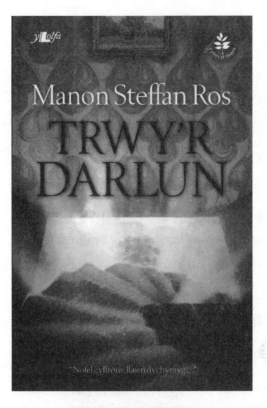

Allan Haf 2009:

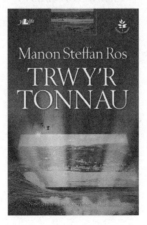

Am restr gyflawn o lyfrau'r Lolfa, mynnwch
gopi o'n catalog newydd, rhad
neu hwyliwch i mewn i'n gwefan

www.ylolfa.com

Ile gallwch archebu llyfrau ar lein.

yLolfa

. TALYBONT CEREDIGION CYMRU SY24 5HE
ebost ylolfa@ylolfa.com
gwefan www.ylolfa.com
ffôn 01970 832 304
ffacs 832 782

YANI

Mari Stevens

I Dafydd Jac

Argraffiad cyntaf: 2009

℗ Hawlfraint Mari Stevens a'r Lolfa Cyf., 2009

Comisiynwyd y gyfrol hon gyda chymorth ara("innol Adran Plant,
Addysg, Dysgu Gydol Oes a Sgiliau

Cynllun y clawr: Alan Thomas
Mapiau gan Mari Lewis

Rhif Llyfr Rhyngwladol: 9781847711380

Cyhoeddwyd ac argraffwyd yng Nghymru
gan Y Lolfa Cyf., Talybont, Ceredigion SY24 5HE
gwefan www.ylolfa.com
e-bost ylolfa@ylolfa.com
ffôn 01970 832 304
ffacs 832 782

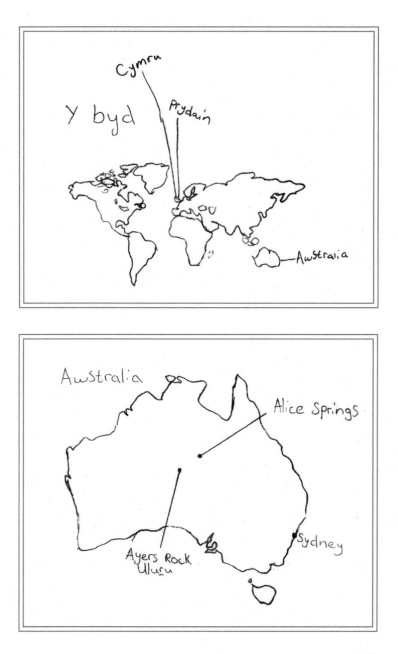

Cymru

Y byd

Prydain

Awstralia

Awstralia

Alice Springs

Ayers Rock
Uluru

Sydney

CYFLWYNIAD

Na. Plîs syr. Plis. Plîs pidwch â dod gam yn agosach. Plîîîîîs. Gadwch fi fod! Plîs syr...

Dwi'n begian yn dawel bach fan hyn yn y düwch chwyslyd, poeth. Mae hi mor dywyll mewn 'ma! Smo fi'n gallu gweld dim byd, heblaw am stribed bach o haul yn gwthio ei ffordd i mewn drwy'r twll rhydlyd – fyn'na yn y gornel... cornel bella bŵt y car lle dwi'n cuddio'n y cysgodion. Ond dwi'n gallu clywed stomp-stompian 'i sgitshe lleder trwm e tu fas, a dwi'n gwybod ei fod e yno. Yn agos. Yn nesáu ato i.

Ma nghalon i'n curo'n wyllt wyllt – fel tase aderyn yn sownd mewn 'na, yn chwalu'i adenydd yn erbyn barie caetsh. Yn trio diengyd mas. Ond smo fe'n gallu. Achos dwi'n gwasgu fy llaw yn erbyn fy ngheg yn galed, galed. Shhhh. Bydd ddistaw. Bydd ddistaw. Dyna wedodd Mam. Cuddia'n dawel, dawel, cariad. Dim siw na miw. A bydd popeth yn iawn. Dwi'n addo.

Ond nawr mae'r sgitshe'n swnio mor agos at y car – ac ata i – a ma 'da fi lond bola o ofan. Dwi ofan gwneud sŵn a dwi ofan cal fy nala. Dwi ofan anghenfil metel y dyn gyda'r sgitshe trwm. Dwi ofan beth ddigwyddith os ceith e'i fysedd gwynion arna i.

Yn ddistaw, ddistaw bach dwi'n pwyso mlaen ac yn rhoi

7

un o fy llygaid yn erbyn y twll bach yn y bŵt er mwyn sbecian mas ar y byd mawr tu allan. A trio gweld be sy'n digwydd.

Yn y pellter, yn ymestyn mor bell â dwi rioed wedi gweld i bob cyfeiriad, ma hyd a lled fy holl fyd.

Yn bell, bell i ffwrdd – mor bell ag yfory falle – ma'r gorwel yn siffrwd yn y gwres tanbaid rhwng y tir mawr coch a'r awyr mawr glas. Yna, ychydig bach yn nes na hynny, dwi'n gweld clogwyni pinc y ceunant, lle mae cyfrinachau a hud a lledrith yn llechu. Yn nes eto... a dyna goeden ar ei phen ei hunan bach, yn estyn ei breichiau at yr haul fel plentyn yn estyn am ei mam. Yn agosach – 'co anghenfil awyr y dyn mawr tew, a'i adenydd metel a'i lyged gwydr yn disgleirio'n sinistr yn yr haul. Yn nes – gartre. Caban bach ni, a cader freichie Mam yn dal i siglo 'nôl a mla'n, 'nôl a mla'n. Ac yn nes eto – Mam ei hunan, yn dala'n dynn yn Kira. Yn gwrthod gadel iddi fynd.

Ac yn nes na hynny... Fe. Syr. Ei sgitshe mawr trwm a'i goese fel boncyffion o dan fola cwrw, crwn. Mae ei grys hufen yn ych-a-fi o frown gan chwys ac ma fe'n mestyn am hances i sychu'i fwstâsh blewog. Ma fe'n tynnu'i het ac yn penlinio mla'n yn y tywod nesa at Coreen. Dwi'n teimlo'r gwres yn y bŵt yn cau fel bwci-bo amdana i wrth weld ei ddwy law yn dala'n ei sgwydde main.

'Nawr 'te ferch. Ble mae hi? Ble mae dy chwaer?' Hola'r dyn mawr tew yn swrth.

O'r fan hon gallaf weld fod Coreen yn syllu'n strêt tuag ata i. Yw hi'n gallu gweld fy llygad i'n syllu 'nôl arni trwy'r twll yn y bŵt tybed?

'Ble mae hi? Ble mae dy chwaer? Ry'n ni'n gwybod ei bod hi yma!' hola'r dyn, ei lais yn uwch tro 'ma. Dwi'n ei weld e'n pwyso mla'n, nes fod ei drwyn e bron twtsh yn nhrwyn fy chwaer. 'Ble mae hi?' poera.

Ond dyw Coreen ddim yn cyffro. Ma hi jyst yn sefyll yna'n dawel yn syllu tua'r pellter – tuag ato i. Dwi ishe gwenu arni a rhoi cwtsh mawr iddi. Ishe'i chysuro hi – ti'n neud yn dda, Coreen fach, ti'n neud yn grêt. Ond fedra i ddim.

'Ble mae hi? Ble!' Mae e'n gweiddi nawr, ac yn gwasgu ei ddwylo am ei hysgwyddau tenau. Ma 'na stribed hyll o chwys yn cripian yn araf ar hyd ei gefn. 'Ateb fi!' bloeddia eto, gan wasgu'i ewinedd i mewn i'w chroen. Ond does dim ymateb. Ma Coreen yn dal i sefyll yn llonydd, a mud.

Dwi'n ei weld e'n sythu ei gefn. Yn gweld fod ei foche wedi dechre troi'n borffor yn y gwres ac yn ei ddicter. 'Mae gen ti un cyfle arall, ferch fach. Ble mae hi? Ble mae dy chwaer?' Gwelaf y chwys a'r poer yn tasgu dros y lle. Mae e'n estyn eto am ei hances wlyb. 'Cym on, ferch fach. CYM ON!'

Ond, eto, does dim ymateb. Dim ond distawrwydd. Ac o'r diwedd mae'r dyn yn ildio. Ochneidia'n ddiamynedd. 'Dydw i ddim yn gwybod pam dy fod ti'n ei chuddio hi!' meddai, gan hyffian dan ei wynt a chodi ar ei draed eto. 'Dyw hi ddim gwerth i neb fel mae hi nawr! Hy!' Sigla'i ben a chicio blaen ei esgid ar y llawr. 'Byddai'n well o lawer i bawb – iddi hi, i ni, i'r genedl gyfan pe bai plant bach fel hi – fel ti – i gyd yn cael eich casglu at eich gilydd a'ch dysgu sut i fyw yn iawn! Dyw hi'n ddim byd ond baw fan hyn. O leia fedrwn ni gynnig bywyd – a ffordd ddeche, gwaraidd o fyw iddi!'

Mae e'n camu oddi wrth Coreen – a 'nôl i gyfeiriad yr anghenfil metel mawr. Rhyddhad. Mae e'n gwisgo'i het ar ei ben ac yn dechrau cerdded tuag at fola'r bwystfil. Ma'r llafnau gwyn yn dechre troelli'n yr awel unwaith eto.

A jyst wrth iddo fe droi ar ei sawdl gwelaf Coreen yn edrych i fyw fy llygaid. Gwelaf ymylon ei cheg hi'n troi am i fyny. Ac yna… gwelaf hi'n wincio.

Ac yn sydyn, mae'r dyn yn oedi.

'Beth oedd hynna?' Gwyliaf e'n rhuthro 'nôl tuag at Coreen. 'Beth oedd hynna, ferch fach?' Teimlaf lwmp o ofn yn neidio i'm gwddwg – fel tasen i wedi llyncu llond llaw o fwyar lot yn rhy glou. Ac ma'r aderyn yn dechrau fflapian ei adenydd yn wyllt eto yn fy mola.

Mae'r dyn yn chwerthin. Yn chwerthin yn uchel dros y lle i gyd.

'Ha ha ha. Weles i hynna, y ffŵl bach! Ti'n meddwl 'mod i'n dwp.' Ac yna, mae e'n troi tuag at y car. Tuag ata i. Gwelaf fod ei foche'n llachar o biws nawr – a'r chwys yn diferu ar hyd ei wyneb. 'Dyna'ch tric chi yfe?' Rhua, gan ddechre stompian at y car. 'Ha ha ha,' meddai, gan chwerthin yn sur – a syllu'n strêt tuag ata i.

Dwi'n tynnu fy llygad o'r twll ac yn cilio 'nôl i gefn pella fy nghuddfan. Dwi'n dal yn fy mhenglinie ac yn cyrlio yn belen fechan, fach o ofn. Stomp-stomp-stomp. Ma deigryn unig yn llosgi cornel fy llygad – a dwi'n eu cau nhw'n dynn, dynn. Mae'r aderyn yn curo'i adenydd yn wallgo. Ond dwi'n methu anadlu o gwbl. Mae'r düwch yn fwy trwchus nag erioed. Stomp-stomp-stomp. Dwi'n teimlo'r gwres yn gwasgu ar fy nghroen – a'r lleithder rhwng top fy nghoesau'n lledaenu, yn llifo at fy nhraed. Stomp-stomp-stomp. Bydd dawel – dyna ddwedodd Mam, ond mae fy llaw i'n crynu ac mae'r aderyn yn dianc o'r caetsh.

Sgrechiaf wrth i don o awyr iach a phelydrau haul lenwi fy nüwch.

'Dyma lle rwyt ti wedi bod yn cuddio. Clyfar iawn!' Mae e'n chwerthin eto, ac yna'n estyn amdanaf gyda'i ddwylo cryf. Mae e'n fy nhynnu o'r bŵt a theimlaf wres yr haul a metel y car yn llosgi fy nghroen. Ceisiaf ei gicio a'i gnoi. Ond mae'r dyn yn rhy gryf i fi. Teimlaf ddwylo Mam yn crafangu am fy nghroen, am fy ffrog. Ond does dim pwynt.

'Maaam…' Dwi'n bwrw ac yn brathu. Ond mae'r dyn yn fy llusgo gerfydd fy ngwallt at yr anghenfil metel. 'Maaam…' Ond mae'r gri yn anobeithiol ac yn diflannu i'r awyr anferth uwch fy mhen.

Mae e'n fy nala'n dynn am fy nghanol a'm taflu'n ddiseremoni ar sêt gefn ei beiriant. Yna mae e'n tuchan ei ffordd i mewn tuag ata i ac yn cau'r drws yn glep o'i ôl. Clywaf y llafnau metel yn rhwygo fy awel las. A chlywaf Mam yn llefen:

'Naaa… Naaa… Paid ag anghofio amdanom ni…' Clywaf ei llais yn chwyrlïo gyda'r llafnau. Yn troelli ac yn troelli o'm cwmpas i. Yn fy meddwl i. Ynof i.

Yn troi ac yn troi ac yn troelli ac yn troi…

Edrychaf drwy ffenest fach o wydr arni hi a Coreen a Kira – yn swatio gyda'i gilydd ar y llawr, yn syllu i fyny tuag ataf. Edrychaf arnynt drwy'r ffenest a gosod fy llaw yn fy mhoced. Teimlaf rimyn oer ffotograff. Gwasgaf ynddo. Yna syllaf eto drwy'r gwydr oer a gweld fy holl fyd yn troi'n smotiau. Yna'n ddotiau. Yna'n ddim.

PENNOD 1

SIWRNE

'Plîs, Miss. Mae'n rhaid inni frysio… Miss?'

Dwi'n cofleidio Mam yn dynn ac yn rhoi sws fawr ar ei grudd – mae ei chroen yn feddal fel powdwr yn erbyn fy moch.

'Amser mynd, cariad,' sibryda, gan ollwng ynof o'r diwedd. 'Amser dweud ta-ra.' Mae hi'n camu oddi wrtha i ac yn estyn yn ddwfn i waelod ei bag am rywbeth.

'Plîs Miss. Mae angen inni fynd nawr. Mae *take-off* mewn chwarter awr. Dewch mla'n.' Teimlaf ewinedd y ddynes glên o'r cwmni awyrennau yn gwasgu yn fy ysgwydd. 'Dewch wir.'

'Na. Aros un funud fach… ' Mae bysedd Mam yn dal i ymbalfalu yng ngwaelod yr *hand-bag* drud. 'Jyst un funud… ' Pam nad yw hi byth yn gallu ffeindio dim byd ym mherfeddion ei bag? Tipical! 'Aaa… 'co ni,' cyhoedda'n fuddugoliaethus o'r diwedd, gan dynnu rhywbeth o ganol y colur a'r hancesi a'r papurau pwysig. ''Co ni!' meddai, gan osod rhywbeth yng nghledr fy llaw – parsel bychan-bach wedi'i lapio'n ofalus â phapur coch a'i addurno â rhubanau aur ac arian. 'Anrheg arall – arbennig wrtha i. Nadolig Llawen, cariad!' Gwena – ond dwi'n siŵr bod deigryn bach yn cronni yng nghornel ei llygad. 'O diar… dwi mor sili.' Rhwbia'i hamran â chefn ei llaw. 'Mor sili!'

'Dewch mla'n, Miss Jones. Mae'n RHAID mynd.' Teimlaf yr ewinedd coch yn gwasgu'n galed nawr. 'Cym on.'

'Diolch.' Dwi'n rhoi'r anrheg yn ddiogel yn fy *rucksack*, ac yn brysio i ddilyn ôl *stilettos* pigog y ddynes garedig trwy'r dorf – rhwng y ciwiau diddiwedd yn nadreddu'u ffordd trwy gatiau prysur y maes awyr; rhwng y pocedi o bobl o bob lliw a llun yn cofleidio, yn ffarwelio, yn crio, fel ni. Llithraf rhyngddynt, a diflannu i'w canol. Dydw i ddim yn mentro edrych 'nôl ar Mam. Gwasgaf fy nwylo yn ddwfn i boced flaen fy siwmper. Ynddo gallaf deimlo ymyl ffotograff unig. Teimlaf fy ngwefus yn dechrau crynu.

'Dere mla'n,' siarsia'r ddynes – gan amneidio arnaf i ruthro i flaen y ciw. 'Ti'n *VIP* heddiw. Nid pawb sy'n ddigon dewr i deithio i ben draw'r byd ar eu pennau eu hunain yn dair ar ddeg oed!'

O'r pellter gallaf glywed llais Mam yn gwau'i ffordd ata i rhwng yr acenion amryliw a'r ieithoedd dieithr. 'Paid ag anghofio amdana i… ' Mae'r sŵn yn adleisio am funud, yna'n distewi.

As if, meddyliaf, gan gnoi yn galed ar fy ngwefus. *As if,* meddyliaf, gan wasgu'n dynn yn y llun.

★ ★ ★

Mae'r awyren yn rholio'n araf fel deigryn ar hyd y tarmac. Yna'n stopio – am ennyd. Achos nawr mae sŵn rhuo yn llenwi fy nghlustiau, ac yn sydyn mae'r peiriant yn tasgu drwy'r glaw, yn rhwygo tua'r gorwel. Mae'r diferion bach o ddŵr ar y gwydr yn cael eu tynnu'n llinynnau arian ar hyd y ffenest, a thrwy eu patrymau gwyliaf y maes awyr yn troi'n stribed o liwiau – o lwyd, a gwyn a choch. Teimlaf drwyn yr awyren yn codi tuag at yfory wrth i'm cefn a'm pen gael eu gwasgu'n galed yn erbyn cefn fy sedd. Sugnaf yn y losin wnaeth dynes glên y cwmni hedfan ei roi i fi cyn dechrau'r daith. Mae'r blas lemwn yn llosgi'n fy llwnc.

Gwasgaf yn y llun eto a'i estyn o'm poced. Teimlaf y rhimyn cyfarwydd – wedi'i feddalu gan flynyddoedd o rwbio a syllu a dyheu. Mae'r rhwyg yn powlio ar hyd ei wyneb: o'i lygad, ar hyd ei foch, dros ei wefus, at waelod y papur. Byseddaf ef yn dawel – gan rwbio fy mawd yn dyner dros yr wynebau cyfarwydd.

Mam: ei brychni haul fel tywod mân ar ei bochau, ei gwallt yn storm o gyrls yn awel y môr. Dad: yn gafael yn falch yn ei *surfboard* newydd, a'r dafnau o ddŵr yn disgleirio ar ei groen. A fi: yn y canol. Yn dala'n dynn yn nwylo'r ddau. Yn wyth mlwydd oed. Hen grys Dad yn hongian at fy mhenglinie a welis coch am fy nhraed.

Tri wyneb yn gwenu'n ddwl ar y camera. Wedi ein rhewi mewn hapusrwydd.

Weithie, wrth edrych ar y llun, dwi'n meddwl mor braf fyddai hi pe bai bywyd wedi rhewi am byth yr haf hwnnw, gyda dim ond Mam a Dad a fi'n gwenu'n ddwl ar draeth. Dim ond Mam a Dad a fi'n gwibio ar hyd lonydd cul Sir Benfro yn ein *camper van* oren. Dim ond Mam a Dad a fi'n sglaffio sosej a sglodion wrth wylio'r dolffins yn dawnsio yn y dŵr. Dim ond Mam a Dad a fi'n deffro yn y bore bach i wylio'r haul yn torri drwy'r cymylau. Dim ond Mam a Dad a fi…

Ond dim ffotograff yw bywyd. Achos heddiw mae Mam lawr fan'na. Oddi tana i. Tu ôl i fi. Yn cerdded yn ddigalon at y car siŵr o fod. Gwyliaf y *terminal* yn Heathrow yn troi'n focs, yna'n ddot, yna'n ddim, ac yn diflannu i ganol môr o strydoedd ac adeiladau; caeau a llynnoedd.

Ac ma Dad fan draw. Yn bell, bell i ffwrdd. Mor bell i

ffwrdd â diwedd y daith hon. Yn Sydney. Mewn byd arall yn llawn o bobl newydd.

A dwi lan fan hyn. Yn yr awyr, rywle'n y canol, rywle rhwng y ddau. Yn breuddwydio eto am fedru estyn fy mreichiau'n hir, hir rhyngddynt a gafael yn eu dwylo. Yn breuddwydio am afael ynddyn nhw unwaith eto a'u tynnu nhw 'nôl at ei gilydd. Ein tynnu ni i gyd at ein gilydd. Yn un teulu. Mewn un llun.

Ond nid ffotograff yw bywyd.

★ ★ ★

Roedd hi'n noson ddiflas o aeaf tua phedwar mis ar ôl y trip syrffio. Dim ond pedwar mis byr, ond roedd y cyfan wedi newid – a Dad yn dod adre'n hwyr, ac yn hwyrach, bob nos; y giglan chwerthin rhwng fy rhieni wedi troi'n wenu ffug, oer.

Doedd neb wedi esbonio dim wrtho i – neb wedi dweud gair. Ond ro'n i'n gwybod fod pethe'n wahanol nawr. Yn gwbl wahanol. A'r noson honno fel pob noson arall ers wythnose, ro'n i wedi bod yn troi ac yn trosi yn fy mhryderon o dan y dŵfe wrth drio mynd i gysgu. Ond dim ots faint o ddefaid o'n i'n trio'u cyfri, dim ots faint o atgofion neis-neis am wylie haf a hufen iâ fydden i'n trio'u hail-fyw, dim ots faint o diciade cysurlon fy nghloc larwm Disney fyddai'n mynd heibio – doedd dim dianc. Byddai'r un hen obeithion gwag yn dod i gorddi yn fy mhen a chyrlio amdana i. Falle heno. Falle mai heno fydde pethe'n dod yn iawn unwaith eto. Falle mai heno fydde Dad yn dod adre ac yn stomp-stomp-stompian ei ffordd lan y grisie tuag ata i fel odd e'n arfer ei neud. Falle mai heno fydde'r noson y bydde fe'n agor y drws ac yn gwenu'n llydan arna i unwaith eto, cyn dod i wyro drosto i, a rhoi cwtsh a chusan i fi – fel o'r blaen. Falle mai heno fydde fe'n gweud 'Nos da, cariad – cysga'n drwm. Bydd popeth yn iawn.'

Ac o'r diwedd – sŵn y *camper van* ar y tarmac tu fas. Sŵn drws y car yn cau, yna drws y ffrynt yn agor... Yna, siom, wrth i Dad stomp-stomp-stompian tuag at y gegin. Ac nid tuag ata i.

Tynnais y cwrlid yn dynn dros fy mhen ond daeth eu lleisiau i gripian i mewn i'r tywyllwch ata i. Clywais y cyfan. Clywais lais dagreuol Mam. Sŵn Dad yn rhegi. Sŵn crio. Yna dadlau, a gweiddi. Rhywbeth yn torri. Gwydr yn chwalu. Sgrech – 'Sori! Sori!' yna ymbil 'Plîs... Naaaa!' Yna sŵn stomp-stomp-stomp ei draed e eto yn brasgamu tuag at ddrws y ffrynt. Drws yn cau'n glep. Tanio'r *camper van*. Injan yn diflannu yn y pellter. A distawrwydd.

Yn sydyn, daeth llif o olau oren y coridor i lenwi'r stafell a slipers Mam i sisial ar hyd y carped. Teimlais ei phwysau ar erchwyn y gwely wrth iddi godi ymyl y cwrlid a chyffwrdd yn dyner yn fy wyneb gyda'i bysedd oer.

'Sori,' sibrydodd.

'Ble mae Dad?' holais yn wan.

Anadlodd Mam yn drwm, ac estyn am y llun bach ar y cwpwrdd nesa at fy ngwely. Gafaelodd ynddo a syllu'n hir ar y tri wyneb cyfarwydd yn yr haul.

'Ble mae e?' holais eto.

'Wedi mynd,' atebodd yn fflat o'r diwedd. Gallwn weld fod ei llygaid hi'n llonydd a dideimlad. Roedd ei chroen yn welw – yn anobeithiol o lwyd – fel pe bai rhywun wedi siglo pob gronyn o liw o'i chrombil. 'Mae e wedi mynd, cariad,' sibrydodd yn anobeithiol. 'Mae e wedi mynd adre.'

Rhwbiodd y llun, gan rolio'i bysedd dros wynebau'r tri ohonom – un yn un – cyn gafael yn rhimyn y ffotograff. A'i dynnu'n araf, araf bach yn ddwy ran. Gwyliais y toriad yn lledaenu – yn llifo – fel deigryn ar hyd ei wyneb. Wrth iddi ei rwygo mas o'r darlun. A mas o'n bywydau.

★ ★ ★

'Wyt ti'n iawn, bach?' Stwffiaf y ffotograff yn ddwfn i mewn i boced fy nghardigan.

'Ydw, diolch.' Trof i wynebu'r air hostess sydd wedi dod i wyro'n garedig drosof. Clywaf arogl ei phersawr yn cau fel cwtsh amdanaf.

'Ti yw'r ferch fach ddewr sydd wedi hedfan yr holl ffordd o Heathrow ar dy ben dy hun?' Mae ei gwên yn goch a chynnes. 'Beth yw dy enw di 'te?'

'Gwawr.' Sychaf olion y dagre'n frysiog gyda'm llawes, a chochi wrth feddwl ei bod hi wedi sylwi arna i'n crio fel hyn.

'Aaaa… dyna enw pert. Kylie ydw i.' Estynna ei llaw yn gyfeillgar tuag ataf. 'Fi fydd yn gofalu amdanat ti yn ystod gweddill y daith.' Teimla'i chroen mor llyfn. 'Oeddet ti'n gwybod mai Kylie yw enw Aborigini Awstralia am *boomerang*?' Mae hi'n chwerthin. 'Enw da ar gyfer rhywun sy'n gweithio ar awyrennau, smo ti'n meddwl?' Dwi'n trio gwenu 'nôl. 'Nawr 'te, hoffet ti lemonêd?'

'Dim diolch.' Siglaf fy mhen wrth feddwl am orfod codi a dringo dros y dyn sych, surbwch wrth fy ymyl i fynd i'r tŷ bach. Eto. 'Dwi'n ocê, dwi'n meddwl.'

'O'r gore. Cofia roi gwybod os hoffet ti rywbeth – unrhyw beth… Dwi yma i helpu.' Diflanna unwaith eto ar hyd y coridor cul.

Rholiaf y gair Kylie o gwmpas yn fy ngheg. Do'n i ddim yn sylweddoli mai dyna oedd ystyr yr enw. Mae 'na gymaint am Awstralia dwi ddim yn ei wybod, meddyliaf. Cymaint o hanes Dad.

Estynnaf am fy *rucksack*, sydd wedi'i wasgu'n saff o dan y sedd o'm blaen, a'i roi'n daclus ar fy nglin gan drio gwneud yn siŵr nad oes neb yn gallu gweld y bathodynnau embarysing, plentynnaidd ar y boced flaen: y label gyda'r enw 'Gwawr Jones' wedi'i brintio mewn llythrennau bras melyn ar hyd ei ganol a dau fathodyn mawr hyll o faneri Cymru ac Awstralia. Moooor embarysing!

Agoraf y sip a dechrau chwilota yn ei waelodion siang-di-fang: fy llyfr gwaith cartre gan Mrs Evans – 'er mwyn i ti lunio prosiect bach hyfryd ar dy brofiadau yn Awstralia...' Cuddiaf hwnnw'n ddwfn yng ngwaelod y bag, ymhell o'r golwg. *As if* y bydd gwaith cartre'n gweld golau dydd yn ystod yr wythnose nesa. Fy anorac goch. Snap. Y brws dannedd melyn ges i am ddim gan yr *air hostess*. Fy nyddiadur teithio newydd. Fy *iPod*. Yr anrheg Nadolig o' wrth Mam! Tynnaf hwnnw o berfedd y bag i ddechre. Tybed beth yw e? Dwi'n swmpo'r papur lapio. Bocs bach, sgwâr... Hmmm. Tybed? Wna i aros tan Ddydd Nadolig i ffeindio mas? Na. Tyff. Fydd hi ddim callach. Agoraf y rhuban a thynnu ar y selotêp er mwyn datgelu cornel, fechan, fach o'r anrheg. Aaaa – bocs caled! Dwi ddim tamed callach! Www... Ddylwn i? Wna i? Ie – pam lai? Pa ots? Rhwygaf ar y papur yn ddiamynedd.

Bocs gemwaith glas-tywyll gyda rhimyn aur o gwmpas ei ymyl. Gwasgaf y botwm bach yn eiddgar. Ynddo mae cadwyn ysgafn, yn gafael yn dyner mewn loced arian hen-ffasiwn. Byseddaf ef a'i droi'n gariadus rhwng bys a bawd, cyn ei agor yn ofalus. Does dim lluniau ynddo. Dim ond nodyn: 'I Gwawr, er mwyn i ti fedru cario'r rhai rwyt ti'n eu trysori gyda ti am byth.' Tynnaf y loced o'r bocs a'i hongian am fy ngwddf. Dydw i ddim ishe torri'r llun o Mam, a Dad, a fi

– felly caiff aros yn wag. Am y tro.

Rhoddaf y bocs 'nôl yn y bag a chwilio am yr hyn yr oeddwn yn trio dod o hyd iddo fe o'r dechre. Aha! Dyna fe. Gafaelaf yn rhimyn trwchus y llyfr a'i roi i eistedd ar fy nghôl. Rhwbiaf gledr fy llaw ar hyd y clawr – ar hyd y llythrennau breision gwyn – 'Awstralia'; ar hyd y ffotograffau sgleiniog o bysgod neon a thraethau melyn a chreigiau coch. Ar hyd wyneb cyfeillgar bachgen bach croen-dywyll, gyda chwa o wallt cyrliog ac olion paent amryliw ar ei groen. Mae cymaint dwi angen ei ddysgu, meddyliaf. Cymaint dwi angen ei wybod am fyd arall Dad.

Agoraf y llyfr a fflicio drwy'r tudalennau am eiliad, cyn gorffwys ar un dudalen benodol: *Pennod 2 – Sydney*. Ac yno, ynghudd rhwng y tudalennau, mae'r llythyr.

★ ★ ★

'Gwaaaaaaaaaaaaaaaaaawr!' Daeth ei wyneb i dywynnu arnaf ar y cyfrifiadur, ei lygaid mor llachar â haul y dydd yn Awstralia. Edrychais ar y cloc bach yng nghornel dde'r sgrin – 7pm. Fan hyn roedd hi'n noson o Hydref a'r nos eisoes yn ddu a thrwchus tu fas. Ond draw fan'na – y tu hwnt i'r meddalwedd Skype a'r gliniadur bach hirsgwar a'r cêbls – roedd hi eisoes yn fory braf o haf. Siglais fy mhen mewn rhyfeddod. 'Sut wyt ti, cariad? Mae hi'n hyfryd dy weld di. Hyd yn oed fel hyn...' medde Dad yn frwd.

Mae'n neis dy weld di hefyd, meddyliais. Gan ddyheu am fedru estyn fy llaw drwy'r sgrin a chyffwrdd eto'n y cyrls melyn a'r croen euraid, llyfn. Ond ddwedes i ddim gair.

'Sut ma Mam?' Holodd wedyn – gyda gwên. Sut ma Mam? Meddyliais yn hir cyn ateb. Meddyliais amdani – yn ei siwt binstreip newydd ar ei ffordd i'r gwaith yn y car bach smart; yn gwisgo lan mewn tops bach tynn i fynd mas ar nos Wener; yn giglan ar y ffôn wrth siarad 'da rhywun yn hwyr y nos. Mae hi'n ocê, meddyliais. Jyst yn wahanol. Mae hi wedi newid hefyd. Fel pawb a phopeth arall.

'Da,' yw fy ateb swta. 'Ma hi'n dda iawn diolch.'

'Da iawn... ' nodiodd yn falch, cyn symud mlaen at y cwestiwn nesa. Ei gwestiwn mawr. Gallwn weld y cyffro'n pefrio'n ei lygaid. 'Gest di'r llythyr?' holodd yn gyffrous. 'Gest di'r gwahoddiad?'

Edrychais yn fud ar y sgrin. Do, meddyliais. Do, diolch. Ces i'r gwahoddiad – y llythyr byr mewn amlen las o ben draw'r byd ac arno sgribls yn llawysgrifen Dad: 'dere i dreulio'r Nadolig fan hyn... '. Do, fe ges i'r gwahoddiad diolch yn fawr. Ei gael e, a'i ddarllen e a'i ddarllen e nes bod fy llygaid i'n brifo a mhen i'n troi. Ei ddarllen a'i ddarllen drosodd a throsodd.

'Sooo... be ti'n meddwl?' Daeth ei lais i darfu arnaf dros y *speakers*. 'Ti am ddod?'

Edrychais arno'n fud. Ydw i am fynd? Oedais. Ro'n i wedi trafod y peth 'da Mam. Wedi dweud wrthi'n wreiddiol nad o'n i ishe mynd. Gweud bo fi ddim ishe gwybod dim am fywyd newydd Dad. Ond hi wnaeth fynnu – fynnu – ei fod e'n dal yn dad i fi. A bod yn rhaid i fi ddod.

'Ydw.' Atebais o'r diwedd.

'Ffantastig!' Tarodd ei ddwylo yn erbyn y ddesg yn fuddugoliaethus. 'Ffantastig... ', a theimlais wefr o gyffro wrth ddychmygu gwibio drwy'r cymylau – fel lluniau dros Skype – tuag ato. I'w freichiau. Teimlais wefr o gyffro wrth ddychmygu cwrdd ag aelodau lliwgar fy nheulu ym mhen draw'r byd. Teimlais wefr o gyffro wrth feddwl am dreulio'r Dolig ar y traeth – yn syrffio ac yn nofio ac yn adeiladu cestyll tywod. Teimlais wefr o gyffro wrth feddwl am adael gartre a Mam a'i hwyliau rhyfedd am bythefnos yn yr haul. Gyda fe.

'Ffantastig!' Torrodd ei lais ar draws fy meddyliau – ei wên yn ddwl o lydan. Neidiodd ar ei draed. 'Glywest ti hynna, cariad?' holodd yn gyffrous dros ei ysgwydd. 'Glywest ti hynna, Shirley? Mae hi'n dod!'

Ac yn sydyn daeth euogrwydd i lenwi fy mola – wrth gofio amdani hi. Wrth gofio eto am Shirley – cariad newydd Dad. Daeth euogrwydd a siom ac ofn i afael ynof wrth feddwl am fradychu Mam. Am fradychu ein teulu bach ni. Am fradychu fy ddoe.

A nawr, wrth eistedd fan hyn, yn hedfan tuag at fory – tuag at Awstralia a byd newydd Dad, eisteddaf yma'n dawel yn rhwbio fy mys ar y rhych ar hyd ei wyneb. Yn rhwbio'r selotêp a ddefnyddiais i lynu'r llun yn un darn eto. Pe bai hi ddim ond mor rhwydd i roi Mam a Dad – a fy myd i gyd yn grwn – yn ôl at ei gilydd.

Mae'r dyn main surbwch wrth fy ymyl yn gafael mor dynn ym mreichiau ei sedd nes bod ei fysedd yn dechrau troi'n biws. Mae ei lygaid ar gau ac mae 'na ddafnau o chwys yn cronni ar ei dalcen... Mae e'n rhegi – wrth i'r awyren hic-hypian drwy'r awyr.

'Blincin *turbulence*!' hyffia, wrth i'w G'n'T dywallt dros ei hambwrdd plastig am y degfed tro. 'Byth eto,' meddai gan droi'n ddig at ei wraig, sy wrthi'n darllen copi o *OK Magazine* dros ei sbectol. 'Byth eto. Ti'n clywed?' Mae hithe'n rholio ei llygaid cyn troi 'nôl i fwynhau'r cylchgrawn.

Agoraf y llyfr o'm blaen a thrio canolbwyntio – 'Straeon yr Aborigini' – ond mae'r geiriau a'r mapiau a'r lluniau yn sboncio dros y lle i gyd felly pwysaf fy nhalcen yn erbyn y ffenest fach gron wrth fy ochr. Mae'r awyr yn ddwfn o dywyll ac mae'r cymylau'n tonni'n feddal i bob cyfeiriad. Dychmygaf neidio i mewn i'w meddalwch, a theimlo'u cotwm yn clymu o'm cwmpas. Yna dychmygaf syrthio, syrthio o'u gafael, a nofio, nofio ar y gwynt tuag at y tir caled islaw. Ac wrth i fi nofio drwy'r awyr dychmygaf weld y byd i gyd yn dod yn fyw oddi tanaf – yn goed ac yn afonydd ac yn anifeiliaid o bob lliw a llun. Dychmygaf wylio Awstralia'n deffro o flaen fy llygaid. Fel mewn breuddwyd.

Yr Enfys Neidr

Ar un bore tywyll, mewn cyfnod arbennig o'r enw y breuddwydio pan oedd y byd yn dywyll, ac yn ddistaw ac yn aros i ddeffro ymddangosodd hollt yn wyneb tir coch Awstralia, ac o'r crac caled, ymlusgodd neidr o'r enw Goorialla.

Gwasgodd Goorialla ei ben drwy'r pridd sych, a thynnu ei gorff yn araf o ddyfnderau'r ddaear gan droi a throelli ar hyd y tywod poeth.

Edrychodd o'i gwmpas. Roedd y byd yn gwbl gwag a gwastad. Doedd dim anifeiliaid nac adar, dim afonydd na llynnoedd, dim bryniau na mynyddoedd, i'w gweld yn unman – dim ond diffeithwch distaw, di-nod. Felly cychwynnodd Goorialla ar daith hir o dde Awstralia i'r gogledd – er mwyn dod o hyd i'w ffrindiau, a gweddill ei lwyth.

Ond roedd Goorialla yn neidr arbennig iawn. Roedd ei gorff yn llachar o amryliw – yn oren a phorffor a glas – ac yn disgleirio fel diemwnt, hyd yn oed yn y düwch. Roedd e hefyd yn anferth, yn fwy nag unrhyw neidr a welwyd erioed a chyn hired ag afon ac mor llydan â chae. Felly wrth i Goorialla ystumio'i ffordd ar ei daith dros y cyfandir gadawodd farc ei gorff yn drwchus a dwfn ar y tir. Roedd e mor fawr, fel y gallai hollti'i ffordd rhwng creigiau, gan greu ceunentydd dyfnion a chlogwyni serth ar ei siwrnai. Roedd e mor dew fel bod pwysau ei gynffon yn cyrlio dros y tir gan gerfio afonydd a nentydd yn yr anialwch wrth fynd. A bob nos byddai'n gwau ei gorff yn belen dynn, dynn, er mwyn mynd i gysgu – felly bob bore byddai'n gadael twll mawr gwag o'i ôl.

Ac un diwrnod, wrth i Goorialla brocio'i ben allan o bwll dwfn arall ar doriad gwawr, ymddangosodd hollt yn y tir a sbonciodd brogaod gwyrdd llachar o'r cysgodion. Roedd eu cegau'n llawn o ddŵr ffres o fola'r ddaear felly cosodd y neidr amryliw eu stumogau, a dechreuodd y brogaod chwerthin dros y lle i gyd, gan dasgu diferion o ddŵr, fel glaw, dros y pridd crin. Llifodd yr hylif o'u gweflau gan lenwi gwely pwll gwag Goorialla i ddechre, ac yna llifo i lenwi'r traciau a'r ceunentydd a'r tyllau gweigion a grëwyd ganddo ar ei daith gan greu afonydd a nentydd a llynnoedd ar y ddaear sych.

Roedd Goorialla wrth ei fodd, a dechreuodd lamu'n hapus o un pwll i'r nesa, gan daenu diferion o ddŵr ar hyd yr awyr las, gan liwio bwâu llachar yn yr awyr gyda'i gorff anferth, amryliw. Yn un enfys ar ôl y llall. Deffrodd hyn holl blanhigion ac anifeiliaid y ddaear – a ddaeth i ddilyn yn llwybr Goorialla ar ei daith tuag at y môr mawr.

A dyna sut mae pobl yr Aborigini yn credu y dechreuodd y byd – yn ystod cyfnod breuddwyd yr Enfys Neidr, pan naddwyd afonydd a phyllau ar y tir gwastad am y tro cyntaf.

A dyna pam, os yw hi'n dechrau pigo bwrw ar ddiwrnod glas o haf yn Awstralia, y gwelwch chi ysbryd Goorialla – yr Enfys Neidr – yn taenu'i ffordd ar hyd yr awyr, yn creu enfys hudol o'i ôl.

SYDNEY

'Am beth rwyt ti wedi bod yn breuddwydio tybed?' Clywaf lais caredig Kylie yn fy suo i'n effro. 'Rwyt ti wedi bod yn cysgu'n sownd!'

'Hmmm… ' Dwi'n ymestyn fy mreichiau ac yn agor fy llygaid yn araf, araf bach.

'Bore da i ti, Gwawr. Mae hi'n amser deffro.' Gwena, rhwng dwy res berffaith o ddannedd gwyn. Gwasgaf y crawn cwsg o gorneli fy llygaid. Mae'r caban yn llawn o olau dydd erbyn hyn, yn ffrydio'n binc drwy'r ffenestri bach crwn.

'Ble y'n ni?' holaf, gan graffu ar y sgrin deledu a dilyn trywydd dot, dot, dot fy awyren fach i gyda'm bys. Yn ôl y map ry'n ni wedi hedfan dros bob math o lefydd egsotig yn barod – Bangkok, Kuala Lumpur, Signapore, Jakarta… A nawr dyma ni. Fan hyn. Rhywle dros Awstralia.

Yn ôl y cloc bach ar y sgrin mae hi'n saith o'r gloch y bore. Dwi'n siglo fy mhen ac yn estyn am fy nyddiadur o'r boced ar gefn y sedd o'm blaen. Ffliciaf trwy'r misoedd, yr wythnosau a aeth heibio, cyn stopio: Dydd Llun, 12 Rhagfyr. Heddiw. Brysiaf i sgriblo un gair yn y bwlch dan y dyddiad: 'Cyrraedd.' Yna, edrychaf ar y dudalen wag o dan ddyddiad ddoe: Dydd Sul, 11 Rhagfyr.

Roedd Mam wedi esbonio y byddwn i'n colli diwrnod cyfan mewn amser wrth hedfan o Heathrow i Sydney – gan fod gwahaniaeth amser mor anferthol o fawr rhwng y ddwy ddinas… ond nawr, a finne'n edrych ar dudalen goll o'm bywyd mewn dyddiadur, dyw'r peth ddim yn gwneud sens o gwbl. I ble mae ddoe wedi mynd tybed? Sut ma dyddiad cyfan wedi llwyddo i ddiflannu tu ôl i fi, lan fry yn yr awyr? Edrychaf eto ar y dudalen wag – a llenwi'r diwrnod yn fy meddwl. Pe bawn i'n cael y diwrnod 'na 'nôl, beth fyddwn i'n ei wneud ag e? Gwasgaf y ffotograff yn fy mhoced.

Yn sydyn, daw llais y peilot i dorri ar sŵn y clebran, y cwyno a'r babis yn crio yn y caban. 'Ymhen hanner awr byddwn ni'n glanio. Mae hi'n 8 y bore ac yn argoeli i fod yn ddiwrnod braf – haul tanbaid a thymheredd o dri deg chwech gradd selsiws…'

Mae'r cymylau pinc ar wasgar nawr, ac oddi tanynt gallaf weld tonnau glas, gwyllt yn chwipio yn erbyn traethau melyn. Gwelaf geg harbwr yn poeri cychod mân i mewn i'r môr mawr. Gwelaf stribedi o dai sgwat, sgwâr, a'u pyllau nofio'n disgleirio yn yr haul. Gwelaf bont fawr ddur yn gafael yn dynn mewn clogwyni. A gwelaf doeon crynion adeiladau gwyn, yn gorwedd fel cregyn, ar y lan.

Teimlaf wefr o ofn a chyffro yn cripian drosof.

★ ★ ★

Dwi'n sefyll ar ben y llethr sy'n arwain o'r drysau gwydr dwbl i lawr i mewn i ganol neuadd *Arrivals* Sydney. Syllaf ar yr ystafell anferth, a'i llond o olau a siopau, o bobl a phrysurdeb. Ac yna. Yno. Yng nghanol y cyffro a'r lliw a'r sŵn. Dyna fe. Yn sefyll ar ei ben ei hun mewn het Santa wirion. Dyna fe. Yn dal ac yn gyhyrog, ei groen yn dywyllach nag arfer, ei wallt yn hirach ac yn fwy tonnog nag a gofiaf.

Dad.

★ ★ ★

'Mae'n hyfryd – yn rili, rili hyfryd – dy weld di eto, cariad,' meddai, gan rwbio'i fysedd yn erbyn fy mhen yn gyfeillgar am y canfed tro – ei law arall yn gafael yn olwyn y *camper van* newydd. 'Ti 'di blino?' Dim ateb. 'Mae'n dipyn o siwrne o'n'd yw hi? Sut le oedd Bangkok?' Dim gair. 'Wyliest ti unrhyw ffilmie ar y daith?'

Dwi ddim ishe siarad. Dwi wedi blino gormod. A ta beth, dwi'n meddwl mai cadw fy ngheg ar gau yw'r unig ffordd o stopio'r dymer wyllt a'r gweiddi sy'n cronni tu mewn i fi rhag ffrwydro a llifo dros y lle i gyd. Dwi'n anwybyddu cwestiwn arall, ac yn troi i ganolbwyntio'n ddistaw ar y coed, yr arwyddion a'r concrit y tu hwnt i'r ffenest.

'Wyt ti'n edrych mlaen at dy Nadolig cynta yn Sydney?' Ceisia lenwi'r tawelwch annifyr, anghyfforddus gyda geiriau. Dim ateb. 'Ma Nadolig fan hyn yn wahanol iawn i Nadolig gartre, cofia…' Ceisia lenwi'r gwacter. Ond mae bwlch o 24 awr, 11,000 o filltiroedd, a dwy flynedd o ddicter a thristwch rhyngom. 'Sneb yn cwmpo i gysgu o flaen y teledu nag o flaen tanllwyth mawr o dân fan hyn ar ddydd Nadolig, o na. Barbeciws a bicinis yw Nadolig i bobl Sydney.' Trio eto. Ond dyw geiriau ddim yn ddigon. 'Ma nhw'n dweud y bydd hi'n dri deg chwech gradd selsiws nes 'mlaen heddi. Bydd hi'n boethach fyth yn ystod yr wythnose nesa… Gobeithio dy fod ti wedi cofio dod â digon o eli haul gyda ti yn y *rucksack* 'na.'

Eli haul ym mis Rhagfyr? Ar ddydd Gwener ro'n i'n cerdded i'r ysgol mewn cot wlân, teits trwchus, het bòbl a menig. A nawr mae'n ddydd Llun. Un penwythnos ac mae'r byd i gyd wedi troi ben i waered. Wedi troi o fod yn aeaf i haf. O Mam i Dad. Yn sydyn, teimlaf yn unig. Mor unig. Mae gartre mor, mor bell i ffwrdd – mor bell fel ei bod hi'n anodd dychmygu ei fod e'n bodoli o gwbl.

'Dwi'n gwybod sut ti'n teimlo…' Yn sydyn, mae ei lais yn dyner, fel pe bai e'n darllen fy meddyliau. 'Ro'n i'n teimlo hiraeth am gartre pan o'n i'n byw yng Nghymru.' Mae e'n cydio yn fy llaw. 'Paid â phoeni – bydd tair wythnos yn hedfan, gei di weld…' Mae e'n gwasgu. 'Ry'n ni wedi trefnu llwyth o bethau ar dy gyfer di. Ry'n ni wedi…' Clywaf e'n adrodd rhestr hir o syniadau a gweithgareddau: taith i sŵ Taronga; gwersi syrffio; gweld cangarŵs yn y Blue Mountains; nofio mewn pwll awyr agored… Ond dydw i ddim yn gwrando. Mae dau air bach yn troi a throsi yn fy mhen. *Ry'n ni*. Dau air bach mor llawn o ystyr. A thristwch.

Mae'r *camper van* wedi hen adael y briffordd ac ry'n ni'n dringo'r ffordd ar hyd stryd o siopau bychain, sy'n swatio'n dwt o dan feranda urddasol.

'Paddington yw enw'r ardal hon – a dyna Centennial Park…' Pwyntia i'r dde. 'Gyda'r nos, pan mae'n dechrau tywyllu, ma nhw'n dangos ffilmiau ar sgrin fawr yn yr awyr agored yn y parc. Ma'n rhaid i ti fynd â dy bïcnic a dy flanced dy hun gyda ti. Mae'n lot o sbort…'

Ry'n ni'n troi oddi ar y stryd o siopau am ardal o heolydd mwy cul a serth. Mae tai teras yn cripian ar hyd eu hymylon a choed yn plygu dros y palmentydd.

'Dyma Woollahra. Yr ardal lle ces i'n magu…' esbonia Dad yn gyffrous, fel plentyn yn dangos ei anrhegion Nadolig. 'Ma'r harbwr jyst i'r gogledd… Ti'n gweld? A thraethau'r arfordir i'r dwyrain… ddim yn bell o gwbl. Woollahra yw enw'r lle. Wooll-ah-ra. Mae'n hen, hen enw… Enw'r bobol ar y lle yw e, y bobol oedd yn arfer byw yma amser maith, maith yn ôl. Does neb cweit yn siŵr be ma fe'n meddwl – gwersyll falle – neu olygfan.' Ac o'r fan hon gallaf weld y môr yn sgleinio tu hwnt i'r stryd, a hwyliau'r cychod yn crafu'r awyr glir. Mae'n teimlo fel pe bawn i ar dop y byd. Ond yn sydyn mae llais Dad yn gostegu – ac mae fel pe bai cwmwl mawr du wedi ymddangos ar y gorwel. 'Ond cafodd pob un o'r Aborigini oedd yn byw yma eu lladd ti'n gweld,' ychwanega'n dawel. 'Eu lladd gan y bobl o Ewrop wnaeth symud draw i fyw yn Awstralia dros ddau gan mlynedd yn ôl. Cawson nhw i gyd eu lladd. Felly does neb yn gwybod…'

'Dyma ni,' medd Dad o'r diwedd, gan barcio'r *camper van* ar oledd tu allan i'r tŷ cyntaf, uchaf mewn rhes sy'n ymestyn ar hyd y llethr o'n blaenau. 'Fy nghartre i.'

Mae e'n pwyntio at hen dŷ teras, yn cysgodi'n hamddenol tu ôl i frigau'r coed, a'r paent pinc yn pilio'n araf yn y gwres, fel croen yn yr haul. Mae addurn o haearn patrymog yn hongian fel ffrinj ar hyd ymyl y bondo, a ffens o'r un patrwm yn creu amrannau o dan y ffenestri pŵl. Dilynaf Dad drwy'r gât ffrynt.

'Ma gyda fi sypréis i ti,' meddai, gan ffidlan â'i allwedd a throi'r bwlyn. 'Licen i gyflwyno rhywun pwysig iawn i ti…' Wedi iddo agor y drws gwelaf ferch yn ei hugeiniau yn pwyso yn erbyn y grisiau, fel pe bai hi wedi bod yn aros amdanom. Mae ganddi fflach o wallt melyn a chroen oren llachar. 'Dyma Shirley. Fy nghariad,' cyhoedda'n falch a chlywaf y geiriau yn atsain, yn adlais tu mewn i fi. Shirley. Fy nghariad. Yn adlais ac yn atsain ac yn diasbedain – wrth i fi sylwi ar ei bola mawr, crwn.

Yr Haul Ferch

Ymhell, bell i ffwrdd, amser maith, maith oddi yma roedd y ddaear i gyd yn ddu, ac yn ddiffaith, ac yn ddistaw.

Ond un diwrnod, a'r adar a'r anifeiliaid wedi cael llond bol ar fyw yn oerfel y cysgodion, daeth stribyn unig o haul i dorri drwy'r tywyllwch at y tir...

Syllodd yr adar a'r anifeiliaid arno'n gwasgu'i olau at y pridd ac yn tywynnu, fel torch, ar y tywod. Yna, sylwodd y bioden ar stribed melyn arall yn ymwthio'i ffordd tuag ato – yna un arall, ac un arall, yn procio ac yn gwasgu eu ffyrdd, fel bysedd barus, yn crafangu am y ddaear. Yn rhwygo'u ffyrdd rhwng y cymylau duon, ac yn eu hollti ar agor, gan ddatgelu awyr las uwchben.

Ac wrth i'r awyr hollti, sylwodd yr anifeiliaid ar rywbeth rhyfeddol y tu ôl i'r cymylau: merch brydferth, wedi'i haddurno â phaent melyn ac oren, yn agor ei llygaid ac yn ymestyn ei breichiau wrth gael ei deffro gan y goleuni llachar.

Cododd y ferch brydferth o'i gwely gwlân cotwm, gan dywallt dafnau o'r paent ar ei chroen dros y cymylau o'i chwmpas, a throi'r awyr i gyd yn felyn ac yn oren ac yn binc ysgafn – fel lliw y wawr. Cododd o'i chynfasau, a dechrau cerdded yn simsan ar hyd ei llawr meddal. Peintiodd ragor o golur amdani – rhagor eto o oren ond colur coch hefyd y tro 'ma – cyn gafael mewn ffagl fawr o dân a chychwyn ar ei thaith.

Gwyliodd yr anifeiliaid hi'n croesi'r ffurfafen tuag at y Gorllewin – a phob cam yn cael ei addurno gan liwiau ei phaent a'i oleuo gan ei ffagl o fflamau. Gwyliodd yr adar hi – ei siwrnai'n mynd â hi'n uwch ac yn uwch i'r awyr i ddechrau, a'u lliwiau'n gwasgaru'n llachar dros y lle...

A phan gyrhaeddodd hithau'r Gorllewin, arhosodd yr Haul Ferch i eistedd eto, gan beintio'i chroen yn goch a melyn llachar unwaith yn rhagor, a thywallt ei lliwiau dros awyr hwyr y machlud.

Yna, diffoddodd ei ffagl, a diflannu i mewn i dwnnel cudd. Diflannodd, gan gychwyn eto ar ei hen siwrne gyfarwydd, feunyddiol, adre 'nôl i'w gwersyll a'i gwely yn y Dwyrain.

Diffoddodd ei ffagl, a diflannu, gan droi'r byd yn dywyll a diffaith ac yn drist unwaith eto.

TEULU

Dwi ddim yn gallu stopio edrych ar ei bola mawr beichiog.
Mae e fel balŵn ar fin byrstio. Fel pêl gron, galed.

'Ry'n ni mas yn yr ardd erbyn hyn, yn yfed Diet Coke ac
yn bwyta byrgers blasus – ac yn gwylio 'Shirley fy nghariad'
yn ymarfer ioga yn yr haul. Mae hi'n gorwedd yn fflat ar ei
chefn gyda'i choesau'n stico lan i'r awyr, yna'n eu troi, ar ffurf
rhywun yn seiclo beic... Dwi ddim yn gwybod sut mae hi'n
gallu symud fel 'na yn y gwres llethol 'ma – sy'n fy nilyn i bob
man, ei fysedd yn cosi, yn crasu fy nghroen. Does dim dianc,
dim cysgod – mae e'n llechu, yn llosgi ym mhobman.

'Ma'r stretsho yma yn ardderchog – yn ffab – i'r stumog
ti'n gweld, cariad. Yn ffab... Dwi ishe cal bola fflat eto ar ôl
geni'r babi... Dwi ishe mynd 'nôl i siâp yn strêt.' Cwyd ar ei
heistedd, gan groesi ei choesau, ymestyn ei breichiau i fyny, a
thynnu anadl ddofn. Mae hi'n edrych fel dol Barbie, â'i gwallt
yn gorwedd yn felyn yn erbyn ei hysgwyddau. Meddyliaf am
Mam, ar ei diets diddiwedd, ar ei ffordd i'w gwers *aerobics*
ddiweddara. Gafaelaf yn y loced arian. A'i wasgu.

'Ma Shirley'n athrawes *aerobics* enwog...' esbonia Dad,
wrth i Shirley agor ei breichiau yn ddramatig i bob ochr.
'Mae hi'n cyflwyno rhaglen ymarfer corff ar y teledu bob
bore...'

'Ro'n i'n cyflwyno'r rhaglen...' mae Shirley'n torri ar
draws Dad, ac yn ei gywiro. 'Yn amlwg, fi ddim yn neud

33

dim mwy. Ddim ers HWN!' Pwyntia'n ddig at y bola caled. 'Ddim ers iddyn nhw roi fy job *i* i Carolyn *six-pack* Smith.' Mae hi'n pwyso'n ei blaen nawr, ac yn gwasgu cledrau ei dwylo yn erbyn y mat, yn gwthio godre'i thraed yn erbyn y llawr ac yn codi ei phen-ôl lan i'r awyr.

'Paid ti â becso, Shirl,' medd Dad. 'Fyddi di'n edrych yn berffaith eto mewn dim o dro – yn fam ddelfrydol ar deulu bach hapus, gei di weld.' Gwyra drosti, a mwytho'i bola'n gariadus. Mae'n troi i edrych arna i. 'Mae'n bryd i ti gael brawd neu chwaer fach newydd smo ti'n meddwl?'

Naaaaa! Mae'r sgrech yn taranu yn fy mhen. Mam a Dad a fi oedd y teulu bach hapus. Nid y teulu hwn! Naaaa! Sgrechiaf – heb agor fy ngheg. Meddyliaf am y ffotograff o'r tri ohonom ni yn Sir Benfro – a'i rwygo eto yn gant a mil o ddarnau bach yn fy meddwl. Naaaa! Rhedaf. Rhedaf i fyny'r grisiau i fy ystafell yn yr atig. A chau'r drws yn glep o'm hôl.

★ ★ ★

Pam, pam, pam 'nes i gytuno i ddod mas i Awstralia? Pam? Dwi'n cwpanu fy mhen yn fy nwylo. Pam? Brasgamaf 'nôl ac ymlaen, 'nôl ac ymlaen, o un pen i'r ystafell wely i'r llall. Paaaam? Dwi'n teimlo fel sgrechen. Taro fy nwrn yn erbyn y wal. Fel gwasgu fy mhen i mewn i'r gobennydd a mynd i gysgu am byth. Fel… Codaf hen ddysgyl fach wydr oddi ar y *chest of drawers* yn y gornel a'i thaflu, ei lluchio nerth esgyrn fy mraich at y llawr. Aaaaa! Crash. Mae'n chwalu, yn gwasgaru i bob cyfeiriad.

'Wps.' Disgynnaf ar fy mhengliniau wrth y gwely, a thrio casglu'r darnau mân ynghyd â'm llaw. Mae min dafn o wydr yn pigo fy nghroen, a'r gwaed yn llifo. Sugnaf yn y cwt. Awwww…

Ac yna, sylwaf ar rywbeth. Beth? Yn sydyn, mae rhywbeth yn dal fy sylw. Fan 'na – tu ôl i ymyl y cwrlid... O gongl fy llygaid, gallaf weld rhywbeth yn llechu o dan y gwely, yn hel dwst yn y cysgodion. Beth yw e? Gafaelaf ynddo, a'i lithro tuag ataf. Hen ddyddiadur mawr, trwchus. Chwythaf y dwst oddi ar y caead, a'i godi'n ofalus... Ynddo mae pentwr o bapurau, wedi melynu gyda'r blynyddoedd. Mae llawysgrifen ddestlus, brydferth wedi'i thywallt drostynt a lluniau plentynnaidd ar wasgar rhwng y geiriau.

Ac ar ben y pentwr mae olion ffotograff. Mae'r ymylon wedi cyrlio, wedi crino, gydag amser a dim ond rhannau o'r llun gwreiddiol sydd yma – gwelaf fod rhwyg hir ar hyd un ochr iddo a bod rhywun wedi rhwbio'r wynebau – wynebau dwy ferch fach dwi'n meddwl – oddi arno.

'Gwawr...' Clywaf lais Dad yn dringo ar hyd y grisiau.

Dwi'n cau'r dyddiadur yn glep, ac yn gwthio gweddillion y ffotograff i waelod fy mhoced.

★ ★ ★

Mae gwraig dal, urddasol mewn sbectolau bychain, trendi yn sefyll yn y gegin, a chanddi lygaid dyfnion, o'r un lliw â'i chroen brown tywyll, melfedaidd.

'Dyma Anti Helen,' esbonia Dad.

'Dwi wedi bod yn dishgwl mla'n at hyn ers blynydde!' Mae ei gwên yn disgleirio wrth iddi roi'r gacen sbwng sy'n ei dwylo ar y cownter a'm cofleidio. 'Aaaa – Gwawr.'

'Helen! Ti'n gwbod bo fi ddim yn bwyta *Victoria Sponge,*' cwyna Shirley, gan brocio'r gacen â'i hewin coch. 'Ma o leia dri chan calori ym mhob sleis, ti'n gwybod... *No wonder* ti...'

'Mae'n bleser cael cwrdd â ti o'r diwedd,' medd Anti

Helen, gan anwybyddu'r llais crintachlyd. 'Rwyt ti'r un sbit â dy fam.'

'Mam?' holaf yn syn.

''Run sbit!' meddai, gan daro'i bys yn erbyn blaen fy nhrwyn yn hoffus. 'Ac rwyt ti'n debyg iawn i hwn hefyd!' Mae hi'n troi i edrych ar Dad. 'O wyt... yn debyg iawn, iawn i hwn pan oedd e'n fachgen bach...'

'Sut...' dwi'n trio gwneud y syms teuluol yn fy mhen, yn trio dyfalu sut mae'r Anti yma – y ddynes ryfedd hon gyda chroen fel siocled – yn fodryb i fi. Sut?

'Mae'n stori hir...' esbonia Anti Helen. Mae ei llais hi'n ddistawach nawr – fel pe bai cwmwl wedi gostwng ar ei meddyliau.

'Helen,' dwrdia Dad yn ddiamynedd. 'Helen, dim nawr...' Yna gwrida. Fel pe bai arno gywilydd. Cywilydd mawr am rywbeth.

★ ★ ★

Mae'r bêl yn ffrwydro yn erbyn y ffenest.

'Mani!' bloeddia Anti Helen, gan redeg at y gwydr. 'Mani – dere fan hyn nawr. Ti'n clywed? Mani!'

Daw bachgen i mewn i'r gegin gyda gwallt cyrliog du, crys-T streipiog a *trainers* newydd, drud. Mae e'n cario pêl hirgron, fel pêl rygbi, yn ei ddwylo.

'Sori, Mam,' meddai â'i lais yn grynedig ac ymbilgar.

'Bydd yn fwy gofalus, Mani. Paid ti â mentro torri ffenest Wncwl Jim – neu fydd dim cacen i ti, wyt ti'n clywed?'

'Sori, Wncwl Jim,' ymddiheura'r bachgen eto, gan syllu tuag at y llawr a chicio blaen ei droed yn erbyn y carped. 'Ma'n flin 'da fi.' Mae ei ysgwyddau'n siglo, gan wneud i fi feddwl ei fod e'n crio.

'Mae'n iawn, Mani. Nawr mas â ti i chwarae – a bydd yn ofalus gyda'r bêl 'na, wir Dduw!' medd Dad yn glên, cyn troi ata i. 'Gwawr – hoffet ti fynd mas i chwarae 'fyd?'

Wrth i'r bachgen droi ar ei sawdl tuag at y drws, mae'n edrych i fyw fy llygaid. Does dim sôn am unrhyw ddagrau a gwelaf nad yw e wedi bod yn crio o gwbl – dim ond chwerthin yn ddireidus. Mae e'n wincio'n slei arnaf. Nodiaf ar Dad, a dilyn Mani mas i haul llachar y pnawn.

Ry'n ni'n sefyll nesa at ein gilydd yn cicio'r bêl yn rhythmig yn erbyn talcen y tŷ.

'Ti'n hoffi rygbi, 'te?' holaf.

'Nagw. Pêl *Aussie Rules* yw hon. Gêm fel rygbi ry'n ni'n ei chware yn Awstralia. Gêm debyg i rygbi. Ond lot gwell…'

'O.'

'Faint yw dy oedran di?'

'Un deg tri.' Dwi'n cicio'r bêl tuag at y wal. 'Ti?'

'Deuddeg.' Cicia'r bêl yn galed, fel pe bai'n ddig fy mod i'n hŷn na fe. 'Ble ti'n byw?'

'Cymru,' atebaf. 'Wyt ti wedi clywed am Gymru, Mani? Mae e…'

'Wrth gwrs,' brolia. 'New South *Wales* yw enw'r rhan 'ma o Awstralia. Oeddet ti'n gwybod hynna?'

'Oeddwn,' meddwn i'n gelwyddog. 'Wyt ti'n byw rownd ffordd hyn?'

'*Sort of* – fi'n byw 'ma ond so'n teulu ni'n *dod* o fan hyn.' Ciciaf y bêl unwaith eto. 'Fi'n *bored*,' cyhoedda wedyn, gan ddal y bêl yn ei ddwylo, a dechrau cerdded tuag at gefn yr ardd. 'Dere 'da fi. Ma 'da fi rywbeth i'w ddangos i ti.' Neidia dros y ffens uchel i mewn i'r glaswellt yn y cae tu draw. 'Cym on, Gwawr… ond watsha mas am y nadredd!'

'Beth?!' sgrechiaf, wrth ddisgyn ar fy mhen-ôl ar y pridd caled.

'Jyst jocan!' chwardda, gan afael yn fy llaw a'm helpu i godi. 'Does dim nadredd peryglus yn y rhan *hon* o Awstralia – dim ond y pry cop sy'n lladd.'

'Y… ti'n gweud y gwir?' gofynnaf yn nerfus.

'Ydw. Ond paid becso. Fe wna i ofalu amdanat ti.'

Rhedwn gyda'n gilydd drwy'r cae. Teimlaf y gwair yn crensian o dan fy nhraed, ac yn crafu yn erbyn fy nghoesau moel – yn galed a chrimp ar ôl diwrnod hir yn yr haul. Ond mae hi'n dechrau oeri nawr ac mae'r cymylau'n cochi'n fachlud.

Stopia Mani wrth ymyl boncyff coeden dal, braff. Gafaela yn un o'r canghennau isaf a dechrau dringo a dringo nes ei fod e wedi diflannu fry – rhywle rhwng y dail. *Woooosh…* yn sydyn, mae rhywbeth yn disgyn o'r awyr tuag ataf, gan fwrw a chrasho'i ffordd drwy'r dail at y ddaear. Ysgol wedi ei gwneud o raff!

'Cym on 'te!' bloeddia Mani oddi uchod yn rhywle. 'Dere mla'n!'

Ris wrth ris dringaf yn agosach ac agosach ato. Mae fy mhen yn troi ac yn troelli a dwi ddim yn mentro edrych i lawr.

'Ti'n lico hwn?' Gallaf glywed Mani o'r diwedd – ei lais yn galw arnaf y tu draw i gaban anferth wedi ei adeiladu o bren, sy'n cydbwyso rhwng y canghennau'n uchel, uchel yn y goeden. 'Dyma 'nghastell bach i.'

'Wwww!' Dringaf oddi ar stepen ola'r ysgol i mewn i'r caban sgwâr – fel tŷ bach twt – reit lan fan hyn ar dop y byd!

Tŷ bach twt mewn coeden! Mae to o frigau yn gysgod dros y gongl bellaf, cist bren yn fwrdd ar ganol y llawr a blanced wlân wedi'i phlygu'n daclus yn y gornel. 'Wow!' meddyliaf, gan eistedd yn ofalus ar y llawr pren, wrth ymyl Mani. O'r fan hon, gallwn weld y nos yn deffro dros Sydney a golau'r harbwr yn tincial, fel perlau, ar y gorwel. Gorweddaf yn ôl ar fy nghefn, gan syllu ar y cymylau'n siffrwd yn erbyn y ffurfafen. Dwi'n estyn fy llaw tuag atynt ac yn dychmygu 'mod i'n cyffwrdd yn y sêr.

★ ★ ★

'Pam wyt ti mor drist, Gwawr?' Llais Mani, yn torri drwy'r distawrwydd. Teimlaf lwmp yn fy llwnc a dwi'n gwybod ei fod e'n gallu gweld y deigryn unig sy'n powlio i lawr ar hyd fy moch, ar hyd fy wyneb, ac yn disgyn ar y llawr oddi tana i. Dyw e ddim yn dishgwl ateb. 'Dwi'n drist weithie hefyd,' ychwanega, cyn i fi gael cyfle i siarad.

'Wyt ti?' Trof i edrych arno.

'Ydw.'

'Pryd?' Gwyliaf ei lygaid brown yn dilyn trywydd awyren ar hyd yr awyr.

'Jyst weithie,' ochneidia. 'Jyst weithie...' Mae e'n dal i ddilyn yr awyren – fel pe bai e'n dychmygu, yn breuddwydio ei fod yn hedfan ymhell, bell, bant o fan hyn. Ochneidia eto. 'Pan ma Mam yn rhoi stŵr i fi am chware *Aussie Rules*. Pan ma hi'n dweud wrtha i fod yn rhaid i fi weithio'n galetach er mwyn i fi ga'l bod yn ddoctor neu'n gyfreithiwr neu'n wleidydd pwysig.' Mae e'n dynwared ei llais. 'Achos bod angen mwy o bobl fel ni mewn swyddi fel 'na.' Ond fi jyst ddim ishe, Gwawr. Fi ddim yn gallu. Fi'n rhy *thick*.'

'Ti ddim yn *thick*, Mani,' meddwn i'n grac wrtho. 'Edrycha

ar y caban bach 'ma – bydde rhywun *thick* ddim yn gallu dychmygu creu hwn...'

Tawelwch. Gwyliwn yr awyren yn diflannu ymhell bell tu hwnt i fwa'r awyr, ei chynffon wen yn pylu'n araf yn y nos. 'Mani,' medde fi ymhen amser. 'Beth oeddet ti'n feddwl pan ddwedest ti "pobl fel ni"?'

'Y?'

'Pam fod dy fam yn dweud fod angen mwy o "bobl fel ni" mewn jobsys pwysig?'

'Pobl fel fi, Gwawr. Pobl groenddu. Brodorion Awstralia. Yr Aborigini fel ma rhai pobl yn ein galw ni.'

Edrychaf arno mewn penbleth. 'Ond so fi'n deall. Beth yw ystyr hynna, Mani?'

'Pobl fel fi...' esbonia'n dawel, 'yw'r bobol sydd wedi byw yn Awstralia ers cannoedd ar filoedd o flynyddoedd...' Mae ei lais yn gostegu. 'Ond yna, fe ddath pobol o Ewrop i fyw 'ma, ac fe gafodd y rhan fwyaf o'r Aborigini yn Awstralia eu lladd naill ai gan y bobol newydd neu gan y clefydau ofnadwy newydd wnaeth gyrraedd yn Awstralia gyda'r dyn gwyn.' Sigla'i ben yn ddigalon. 'Dy'n ni, yr Aborigini, ddim yn cael ein trin yn neis iawn hyd yn oed heddi yn Awstralia...'

'Mani?' Cofiaf am y ffotograff o'r ddwy ferch fach gyda chroen brown fel Mani – eu hwynebau wedi'u rhwbio o'r llun. Tynnaf y llun o'm poced, a'i ddangos iddo yng ngolau'r lleuad. 'Wyt ti'n gwybod beth yw hwn... Mae e mor *weird*...'

Yn sydyn, gwelaf ei lygaid yn culhau, ei wefusau'n plygu'n wg. Cipia'r llun o'm dwylo. 'Ble gest ti hwn?' hola'n ddig, gan rythu arnaf.

'O dan y gwely yn yr atig,' atebaf yn betrus. 'Pam?'

Yn sydyn, mae e ar ei draed ac yn taflu'r ffotograff tuag ataf. 'Paid ti byth, BYTH â dangos hwn i Mam, ti'n clywed!'

Dechreua ddringo i lawr yr ysgol a gallaf glywed y dail yn siffrwd o'i gwmpas. Clywaf e'n glanio'n swnllyd ar y llawr, a sŵn ei draed yn rhedeg am adre. Yna, drwy'r tywyllwch, clywaf ei lais yn gweiddi arna i. 'Paid ti â mynd i fusnesu – i ymyrryd – ym mywyde pobl eraill, ti'n clywed? Paid ti â meiddio!' bloeddia, cyn diflannu i mewn i ddüwch y nos.

★ ★ ★

Ond dydw i ddim wedi gwrando ar Mani. Mae hi'n nos a dwi yma, ar fy mhen fy hun, yn yr atig – sy'n gynnes, gynnes ar ôl diwrnod poeth yn Sydney. Eisteddaf ar erchwyn fy ngwely yn gafael yn y dyddiadur mawr llychlyd. Yn araf, fe'i agoraf unwaith eto. Mae arogl dwst ac amser yn chwyrlïo o'i dudalennau i mewn i'm ffroenau. Pesychaf a rhoi'r caead i orffwys ar y gobennydd. Yna, dwi'n codi'r tudalennau sydd ynghudd ynddo ac yn eu taenu ar draws y cwrlid yng ngolau'r lamp. Mae yma lythyrau, straeon byrion, nodiadau – pob un yn yr un llawysgrifen gymesur, daclus a phob un wedi'i ddyddio'n ofalus. Gwasgaraf nhw gyda fy llaw, gan chwilio am y dyddiad cyntaf un. A dechrau yn y dechrau.

18 Tachwedd 1973

Heddiw yw diwrnod fy mhen-blwydd. Fy mhen-blwydd yn 13. Cefais ffrog binc flodeuog oddi wrth Mr a Mrs Jones a beiro i ysgrifennu (hwn!) oddi wrth James. Maen nhw mor garedig i fi. Dwi'n diolch i Dduw bob dydd amdanyn nhw. Yn diolch i Dduw.

Mae'n beth da fod James wedi rhoi beiro newydd i fi

hefyd achos dwi wedi penderfynu dechrau ymarfer fy llawysgrifen yn gyson o hyn allan. Dwi wedi bod yn dysgu ysgrifennu gyda Mr Jones, sydd wedi bod yn amyneddgar iawn gyda fi, chwarae teg – ond dydw i ddim cystal â James na neb o'r plant croenwyn. Felly mae'n bwysig iawn fy mod i'n ymarfer yn gyson fel bod modd i fi gael swydd dda pan fydda i'n hŷn. Mae hefyd yn bwysig fy mod i'n ymarfer, ac yn ymarfer, achos hoffwn i ysgrifennu llythyr at Mam un diwrnod. Dwi'n gwybod na fydd hi'n gallu gwneud pen na chynffon ohono – dyw hi ddim yn gallu darllen gair o Saesneg, nac unrhyw iaith arall chwaith – ond dwi'n siŵr y bydd Wncwl Frank yn hapus i ddarllen y cwbwl mas yn uchel iddi hi a Coreen a Kiah ac y byddan nhw i gyd yn falch o glywed fy mod i'n iawn. Yn hapus. Yn fyw ac yn iach.

Achos dydw i ddim wedi siarad â nhw ers y diwrnod hwnnw. Felly does ganddyn nhw ddim syniad ble ydw i na phwy ydw i, bellach.

Dydw i ddim yn gwybod pa ddiwrnod oedd y diwrnod hwnnw. Do'n i ddim hyd yn oed yn gwybod fod enwau gwahanol i'w cael gan bob dydd o'r wythnos tan i fi symud fan hyn i Sydney at Mr a Mrs Jones a James! Pa mor dwp yw hynna? I fi, roedd pob un diwrnod yn dechrau yr un fath, ar doriad gwawr, pan fyddai'r Haul Ferch yn codi ac yn arllwys ei horen a'i choch dros yr awyr.

Ond dwi'n cofio ei bod hi'n gynnar yn y bore, achos dwi'n cofio meddwl mor hyfryd o oer oedd y pridd o dan fy nhraed noeth, wrth i fi grensian drwy'r brigau a'r cloddiau mân drwy'r dwst, gan redeg ar ôl Coreen a Kiah tuag at ein coeden. Ein coeden ni – â'i changhennau sych yn ymestyn, fel breichiau plentyn yn estyn at ei fam, i'r awyr.

Roedd Coreen yn rhedeg fel y gwynt achos dwi'n cofio gweld godre ei sgert yn siffrwd rhwng y cloddiau tua'r pellter. Ond roedd Kiah yn dal yn ferch fach bryd hynny – dim ond tair blwydd oed oedd hi ar y pryd – felly roedd hi'n hawdd i'w dal… a dwi'n cofio rhedeg lan tu ôl iddi, gafael yn ei hysgwyddau gyda fy nwylo a'i chodi hi'n uchel nes bod ei thraed yn hedfan yn yr haul… Yna, dwi'n cofio'i rhoi hi i eistedd ar fy nghefn a'i chario hi, gan ddilyn ôl traed Coreen yn y tywod at y goeden. A dyna hi! Yn swingio ar gangen isaf y goeden cyn disgyn yn bentwr o chwerthin ar y llawr.

Ymunodd Kiah a fi â hi a ffurfio cylch bach – fel bydden ni'n wneud bob amser – a dwi'n cofio tynnu lluniau yn y pridd wrth adrodd stori… Dwi ddim yn cofio pa stori oedd hi chwaith. Mae amser hir wedi mynd nawr ers i fi glywed neb yn adrodd stori'r Cangarŵ a'r Emu a'r Coala i fi yn fy iaith fy hun – a dwi wedi anghofio'r manylion. Ond mae un stori yn aros yn y cof – stori'r Enfys-Neidr oedd hoff stori Coreen, dwi'n cofio hyn'na. Achos byddai hi bob amser yn creu siâp neidr ar draws fy moch, gyda thamed bach o bridd a phoer, wrth i fi siarad.

Wncwl Frank oedd wedi dangos i ni sut i wneud hyn'na. Wncwl Frank oedd wedi dangos i ni sut i ddefnyddio'r byd natur o'n cwmpas i greu paent amryliw, a sut i ddefnyddio'r paent hwnnw i dynnu lluniau ar ddarn o bren, neu dywod, neu groen. Roedd gan Wncwl Frank bob math o straeon lliwgar a ffantastig am yr hyn bydde fe'n ei alw'n 'Breuddwydion'.

Arferai esbonio i ni sut y byddai pobl fel ni ar hyd a lled Awstralia yn credu fod y byd wedi cael ei greu yn ystod y cyfnod arbennig hyn – sef yr amser hudol hynny, pan ddeffrodd y byd. Y cyfnod hudol hynny, pan greodd creaduriaid arbennig, fel yr Enfys-Neidr, ddynion ac anifeiliaid, tir a môr, afonydd a mynyddoedd... Creaduriaid fel yr Enfys-Neidr, esboniai Wncwl Frank, wrth dynnu llun enfys yn y tywod – yr anifail hwnnw wnaeth ymlusgo'i gorff anferth ar hyd y tir gan greu afonydd a mynyddoedd wrth iddo fe deithio.

Dwi'n cofio fod y paent wedi dechrau sychu'n galed ar fy nghroen erbyn i ni gerdded gyda'n gilydd 'nôl tuag at y caban. Dwi'n cofio fod yr haul yn uchel hefyd ond doedd gen i ddim syniad faint o'r gloch oedd hi – doeddwn i ddim yn gwybod bryd hynny fod watsys a chlociau mewn bod ac yn gallu rhoi trefn ar yr oriau, y munudau, a'r eiliadau. Dim ond cofio crensian y paent yn sychu a chofio gweld amlinell Mam – yn cysgodi yn y pellter, yn ei chadair freichiau, ger y caban.

A wedyn dwi'n cofio'r sŵn – yn diasbedain o nunlle – fel rhu anghenfil o'r ffurfafen. Dwi'n cofio edrych i fyny a gweld aderyn metel anferth, yn disgyn o'r awyr tuag atom. Dwi'n cofio Kiah yn dechrau crio gan ofn a dwi'n cofio gafael ynddi yn fy mreichiau. Clywais Mam yn rhedeg ar hyd y tywod, a theimlo ei breichiau'n clymu o'n cwmpas ac yn ein gwasgu ni'n tair yn galed yn erbyn ei bron.

'Cer, cariad! Cer i guddio. Yn lle ddwedon ni... Ti'n cofio?' sibrydodd yn fy nghlust, wrth i'r anghenfil nesáu, nesáu at y ddaear – fel aderyn ysglyfaethus, yn anelu am ei brae.

Rhoddais gusan olaf, oer ar foch Mam a rhedeg, nerth esgyrn fy nhraed tuag at yr hen gar rhydlyd y tu draw i'r caban. Dwi'n cofio troi'r gornel – a thaflu cip dros fy ysgwydd.

Safai'r lleill yno, yn un clwstwr crynedig, yn syllu'n gegrwth ar yr anghenfil yn dod yn nes ac yn nes at y pentre, cyn estyn ei goesau olwynog a glanio'n swnllyd ar y pridd caled. Yn sefyll yn eu hunfan wrth i ddyn mawr tew, gyda chroen gwyn o'r un lliw â'r cymylau, neidio allan o fola'r anghenfil a dechrau stompian ar hyd y pridd coch, caled tuag atynt.

Gwenais ar Mam am y tro ola, cyn plygu ar fy mhedwar y tu ôl i res o gloddiau sych – a llithro'n llechwraidd dros y tywod tuag at y car yn y pellter. Rhwbiai'r pridd yn erbyn fy mhenliniau noeth – a gallwn deimlo darnau o gerrig mân yn glynu at gledrau fy nwylo.

'Naaaaaaaaaaaaaaa!' clywais Mam yn wylo tu ôl i fi, wrth i'r dyn agosáu tuag atynt. Dwi'n cofio ei fod e'n gwisgo crys gwyn a thei streipiog llwyd am ei wddf. Roedd e'n edrych yn bwysig. Yn bwysig iawn. Gallwn glywed ei lais yn diasbedain. Dwi'n cofio ei fod e'n tyfu'n fwy ac yn fwy blin wrth sylwi fod Mam ddim yn deall gair roedd e'n ddweud. Yn fwy ac yn fwy blin. Roedd e'n anadlu'n ddwfn a gallwn glywed fy anadl fy hun yn curo'n wyllt yn fy ngwddf hefyd wrth i fi gripian ar fy mhedwar ar hyd y llawr tuag at y car.

O'r diwedd gwelais yr olwynion o'm blaen – a dau olau blaen yn pefrio arnaf, yn graciau i gyd. Cripiais yn nes eto, gan godi i'm cwrcwd a rhedeg yn dawel, dawel bach o gwmpas ymyl y cerbyd tuag at y bŵt. Estynnais fy llaw am y botwm a theimlo'r metel yn llosgi yn erbyn fy mysedd crynedig. Gwasgu. Clic – a dal rhimyn y gist gyda fy llaw, er mwyn ei gilagor. Gwthiais fy nghoes, yna fy ysgwydd, i mewn trwy'r bwlch cul – yna herc, a theimlo fy nghorff i gyd yn syrthio'n erbyn y carped caled. Tynnu'r caead. Clec ysgafn.

Teimlais fy anadl yn gwthio'i ffordd o'm stumog, yn uwch ac yn uwch i fy llwnc. Yn curo mor gyflym. Roedd diferion gwlyb yn powlio, fel dagrau, ar hyd fy wyneb. Caeais fy llygaid.

'Na. Plîs syr. Plîs. Plîs pidwch â dod gam yn agosach. Plîîîîs. Gadwch fi fod! Plîs syr.' Crefais yn dawel bach o'm cuddfan yn y düwch chwyslyd, poeth.

Na. Plîs syr. Plîs. Plîs pidwch â dod gam yn agosach. Plîîîîs.

NIPPERS

'Dihuna, Gwawr! Mae'n amser codi...' Dad sy 'na – yn cnocio'n ddiamynedd ar ddrws fy 'stafell wely. Mae hi'n ddydd Sul. Dwi'n meddwl. Ond sai'n siŵr – achos ma amser wedi colli pob ystyr ers i fi gyrraedd fan hyn: heb ddyddie *boring* yn yr ysgol, na gwaith cartre, nag aelwyd yr Urdd, na chlwb gymnasteg i roi siâp i fy wythnos... 'Cym on! Amser codi!' Ma Dad yn martsio ar draws yr atig tuag ataf yn y gwely. 'Dere mla'n – sdim amser i ddiogi bore 'ma...' Sylwaf fod ganddo barsel yn ei law. Rhwbiaf fy llygaid yn flinedig – mae'r *jet lag* yn dal i bwyso'n drwm arnynt, a chrawn yr oriau coll yn dal i gasglu yn eu corneli.

'Daaaaaaaaad...' cwynaf, wrth iddo dynnu'r cwrlid oddi ar fy wyneb.

'Cym on, cariad.' Mae e'n ysgwyd y parsel bach uwch fy mhen. 'Ma 'da fi anrheg i ti,' meddai, gan eistedd ar erchwyn y gwely. 'Anrheg Nadolig cynnar yw e – ac mae'n rhaid, rhaid, *rhaid* i ti agor y presant, heddi!' Dwi'n chwilota'n fy meddwl am reswm pam fod heddiw mor arbennig... Rhwygaf y rhuban a dadlapio'r papur am y pecyn yn ofalus.

BONDI! Mae'r llythrennau breision gwyn yn sgrechian arnaf wrth i fi agor y parsel. BONDI. Pum llythyren wedi'u printio'n dwt ar ddarn o lycra glas tywyll. Gwisg nofio! Edrychaf ar Dad mewn penbleth, a dal ati i agor y parsel...

Tiwb o eli haul – eli o liw neon melyn, i'w wisgo mewn streipiau llachar ar y croen… Ac yna, yng ngwaelod y pecyn, darn arall o ffabrig, o liw gwyrdd y tro hwn, gyda darn o elastig gwyn yn gwlwm o'i gwmpas. Dwi'n datod yr elastig, ac yn gollwng y defnydd i hongian.

'Beth yw e, Dad?' holaf, mewn llais troi-fy-nhrwyn-i-fyny.

'Cap *Nippers*!' ateba – ond dyw hynny ddim lot o help.

'Beth?' Does gen i ddim cliw am beth yn y byd mae e'n siarad.

Mae e'n estyn am y capan ac yn ei osod ar ei ben, gan glymu'r elastig yn dynn o dan ei ên. 'Cap *Nippers*…' esbonia'n araf, gan ddechrau gwneud 'stumie nofio gyda'i freichiau. 'Y *Nippers* yw sgwòd plant clwb syrffio Bondi yn Sydney… Bondi yw un o draethau enwocaf y ddinas. Un o draethau enwocaf y byd.' Mae e'n codi a cherdded tuag at y ffenest fach ym mhen pella'r llofft. 'Ac mae e jyst draw fan'na!' Gwasga'i fys yn erbyn y gwydr.

'Ond pam fod angen gwisg *Nippers* arna i?' holaf, gan ddychmygu pawb yn chwerthin wrth fy ngweld yn cerdded i mewn i'r ganolfan hamdden gartre gyda'r gair BONDI mewn llythrennau bras reit ar draws fy nhin.

'Achos am y tair wythnos nesa, rwyt ti'n mynd i fod yn aelod anrhydeddus o'r clwb. Ac mae dy ymarfer cynta di'n dechre…' edrycha ar ei oriawr, 'aaa… mewn chwarter awr!'

★ ★ ★

Mae'r *camper van* yn brysio o gwmpas y tro serth yn y ffordd, tuag at y traeth. Yn y cefndir, gallaf glywed Dad a Mani'n clebran am eu byrddau syrffio ac am wasgedd isel ac am lefel y llanw, ond dwi'n gwrando ar donfedd arall. Dwi'n gwrando ar sŵn y môr ei hun yn siarad. Yn galw arnaf… ac yna, mae e yno – fan'na o'm blaen – yn llenwi fy llygaid, yr ewyn yn siffrwd, yn codi'i lais mewn tymer o'r tonnau, ac yna'n rhuo yn erbyn y tywod. BONDI: yn agor breichiau'r clogwyni led y pen i'm croesawu. Bondi: yn bolheulo'n hapus yn y gwres. Bondi: yn gwenu'n braf ar fore Sul.

Oddi tanaf gwelaf ferched mewn bicinis yn ymladd am ddarn o'r haul; syrffwyr yn torri'u byrddau gwyn trwy ewyn y don; a thwristiaid o Japan yn brysio i dynnu ffotograffau o'r cyfan gyda'u camerâu drud. Gwelaf grŵp o blant mewn capie gwyrdd a gwisgoedd nofio glas tywyll yn rhedeg a sblasho a chware ar y tywod. A theimlaf wefr o gyffro, wrth ddychmygu ias y dŵr mawr glas yn erbyn fy nghroen.

'Wyt ti'n gweld y baneri bach coch a melyn 'na?' Llais Dad yn torri ar draws y synfyfyrio. Mae e'n swnio'n ddifrifol am ryw reswm, fel pe bai e'n dweud y drefn wrtha i am rywbeth sy ddim wedi digwydd. Eto.

'Y-hy,' atebaf gan sylwi ar ddwy faner fach yn chwipio yn yr awel ymysg y bwrlwm a'r bobl.

'Paid ti BYTH nofio y tu allan i ffiniau'r ddwy faner yna – wyt ti'n deall?' rhybuddia'n ddifrifol. 'Mae'r môr yn Bondi yn rymus, yn beryglus iawn… ocê?'

'Ac un peth arall…' ychwanega Mani mewn llais sbeitlyd. Mae e'n dal wedi pwdu wrtha i dwi'n meddwl – ar ôl i ni gwmpo mas yn y caban ar y goeden. 'Ma larwm arbennig yn canu hefyd pan fydd siarc yn y cyffinie…'

'Siarc!' Teimlaf yr ias o wefr yn troi'n ias o ofn ar hyd fy asgwrn cefn. 'Ti'n siriys?' holaf yn gegrwth.

'Ydy, yn anffodus mae hynny'n wir,' yw ateb tawel Dad.

Meddyliaf am y plant yn neidio'n hapus yn y llanw. A theimlo'n sâl.

★ ★ ★

'Ar eich marciau. Barod. EWCH!' Mae'r chwiban yn atseinio, a'r plant yn brysio dros y tywod gwlyb, caled i mewn i'r môr unwaith eto. Maen nhw'n cario eu *body boards* fel tarianau o'u blaenau ac yn sgrechian wrth i'r dŵr dasgu dros eu coesau. Gwyliaf nhw'n taflu eu cyrff yn erbyn y byrddau ac yn padlo'n wyllt tua'r pellter.

Safaf yn stond ar y traeth gyda fy *body board* i yn fy nwylo. Dyw fy nghoesau i ddim ishe rhedeg. Ddim ishe symud o'r fan hon.

'*Wozup,* Gwawr?' Daw Sam, un o'r hyfforddwyr, i blygu yn ei gwrcwd o'm blaen ar y traeth. 'Does dim ofan y dŵr arnat ti, oes e?'

'Nac oes,' atebaf yn onest. 'Ond dwi ofan siarcod.' Dwi'n disgwyl iddo chwerthin ar fy mhen, ond dyw e ddim.

'Wel, mae'n iawn i ti fod yn ofnus ohonyn nhw. Ma 'na bobl yn cael eu lladd gan siarcod bob blwyddyn yma yn Awstralia.'

Gwyliaf y plant yn rasio'n bellach ac yn bellach mas i'r môr – Mani sy ar y blaen. Mae e'n padlo'n galetach, yn gyflymach, na neb arall, yn nes ac yn nes at y gorwel. Meddyliaf am y dyfnder mawr oddi tano, yn llawn o bysgod a chrancod a siarcod a chyfrinachau tywyll, du.

'A dyna'n union pam ein bod ni'n cynnal y gwersi 'ma – fel bod plant fel ti yn gwybod sut ma mwynhau'r môr yn ddiogel.' Mae ei lygaid yn pefrio, ei groen yn sgleinio yn yr haul. 'Ond sdim ishe poeni gormod fan hyn yn Bondi, chwaith – ma 'na rwydi dros geg y bae. Felly bydd popeth yn iawn, gei di weld.' Mae e'n sibrwd yn fy nghlust, 'a ta beth, dwi yma i edrych ar dy ôl di. Fi yw dy *lifeguard* personol di – iawn?'

'Diolch.' Dwi'n cofleidio'r *body board* ac yn ystyried hyn oll yn galed. Dwi'n meddwl am y pŵer a'r peryg ond dwi hefyd yn meddwl am yr holl blant a phobl sy'n sblasho fan hyn yn y dŵr. A dwi'n meddwl am Dad yn cadw'i gydbwysedd yn ofalus ar ei *surfboard* ar donnau oer Sir Benfro. Mae e'n eistedd ar dywel ar y tywod nawr, yn edrych yn edmygus ar Mani, sy'n cael ei gario ar frig y don tua'r lan… Mae e'n edrych yn edmygus ar Mani. Teimlaf chwa o eiddigedd, yn crasho fel ewyn ton, yn fy stumog.

Un. Dau. Tri. Rhedaf i mewn i'r dŵr sy'n lapio'n gynnes fel bath am fy nhraed… fy nghoesau… fy nghanol. Mor wahanol i'r sioc wrth fynd i mewn i'r môr llwyd gartre.

Mae'r cerrynt yn nerthol o'm cwmpas, yn fy ngwthio o un cyfeiriad i'r llall, yn trio fy maglu, fy nhaflu o'r ffordd. Mae hi'n anodd sefyll, a chadw fy nghydbwysedd, hyd yn oed fan hyn, yn y dŵr bas. Aaaa! Yna, o nunlle, mae ton anferth yn hyrddio yn erbyn fy nghorff, yn rhwygo'r *body board* o'm gafael ac yn taro, fel dwrn, yn erbyn fy wyneb. Caf fy nhynnu o dan y dŵr. Dwi'n methu anadlu. Mae'r môr yn llenwi fy ffroenau, fy ngheg… Dwi'n teimlo awydd peswch, awydd agor fy ngheg am awyr las. Ond yn methu. Dwi'n methu â dod o hyd i'r gwaelod gyda'm traed – a dwi'n teimlo llond pwll o ofn, wrth i don arall fy llyncu'n farus.

Mae llaw yn gafael yn fy mraich ac yn fy nhynnu ar fy nhraed. Mani!

'Lot cryfach na gartre?' Mae e'n chwerthin. 'Cym on – falle byddi di'n well yn wynebu'r her nesa. Ar dir sych. Gallaf deimlo ôl ei fysedd ar fy nghroen o hyd – falle nad yw e yn fy nghasáu i wedi'r cyfan.

★ ★ ★

Mae gweddill y plant yn sefyll mewn rhesi twt y tu ôl i linell yn y tywod o flaen y clwb syrffio, a brysiwn i ymuno â nhw.

'Iawn 'te, bawb. Dyma ni. Ein hymarfer olaf cyn y Gala ar Noswyl Galan – ras gyfnewid!' bloeddia Sam gan annerch y criw o blant o'i flaen. 'Ydych chi i gyd yn dod i'r Gala?'

Edrychaf ar Mani, sy'n nodio arnaf. 'Bob blwyddyn, ry'n ni'n cael gala fawr ar gyfer holl aelodau'r *Nippers* yn Sydney,' esbonia, gan sibrwd yn fy nghlust, 'Des i'n ail llynedd. Yn ail!' meddai'n gyffrous. 'Mae'n RHAID i ti ddod eleni!'

'Pawb yn barod?' hola Sam gan estyn am ei chwiban. 'Ar eich marciau...' Clywaf y chwiban yn atseinio dros y traeth a gwyliaf y rheng gyntaf o blant yn rasio'n wyllt drwy'r tywod meddal at y polion yn y pellter... Teimlaf yn fwy nerfus bob eiliad wrth i'n rhes ni leihau a lleihau – ac wrth i fi symud yn agosach at du blaen y rhes. Ac yna, yn sydyn, fy nhro i sy nesa – ac mae'r ferch bengoch o'm blaen yn rhuthro tuag ataf gyda'r baton. Cydiaf ynddo a cheisio rhedeg, nerth esgyrn fy nhraed, at y targed. Ond mae fy nhraed a'm holl egni yn cael eu sugno'n ddwfn i mewn i'r tywod. Mae fel trio rhedeg ar y lleuad a dwi'n gweld y plant eraill yn fy ngoddiweddyd, un ar ôl y llall...

O'r diwedd trosglwyddaf y baton i Mani a disgyn ar y llawr, mas o wynt yn llwyr... Gorweddaf ar fy nghefn ac, o gornel fy llygaid, gallaf weld coesau tenau Mani'n brasgamu ar hyd y tywod. Mae e'n rhedeg yn gyflym, yn adennill ein lle ni ar y blaen. Mae gweddill y tîm yn neidio i'r awyr yn llawn cyffro, yn chwibanu ac yn gweiddi ei enw, 'Cym on, Mani!'

'Sut ma'r Abo 'na'n gallu rhedeg mor ffast?' clywaf lais cas yn torri, fel cyllell, drwy'r gweiddi a'r dathlu. Un o griw'r timau eraill sy'n siarad yn slei ymysg ei gilydd, mewn lleisiau sibrwd-tu-ôl-i-gefn-rhywun, ych-a-fi. Dwi'n clustfeinio. Am bwy maen nhw'n siarad tybed?

'Ma fe 'di hen arfer rhedeg ar ôl cangarŵs mas yn y *bush*…'
yw ateb un arall o'r bechgyn yn y criw – bachgen cryf, cas
yr olwg, gyda sbectol haul ddrud ar ei drwyn. Mae pawb yn
chwerthin. 'A rhedeg rhag yr heddlu…'

'Ond paid ti â becso, Seb, ti fydd y pencampwr ar Noswyl
Galan – gei di weld!' Dwi'n troi fy mhen tuag atynt a gwelaf
mai bachgen main a chanddo wallt du pigog a brychni haul
dros ei wyneb i gyd sy'n siarad nawr. Mae ei lais yn sur fel
lemwn. 'Mi wnawn ni feddwl am ffordd o guro'r Abo – paid
â phoeni!' A gwyliaf weddill y criw yn taflu *high-fives* uchel at
ei gilydd yn yr haul.

Ac yn sydyn dwi'n gwybod am bwy maen nhw'n siarad.
Yn sydyn deallaf at bwy maen nhw'n cyfeirio yn eu lleisiau
milain, creulon. At Mani.

★ ★ ★

Dwi'n eistedd ar y borfa ger y maes parcio yn bwyta hufen iâ,
yn gwylio Dad yn lluchio ein pethau blith draphlith i gefn y
camper van. Dyw e ddim wedi newid dim mewn gwirionedd,
meddyliaf, wrth gofio am y llanast o ddillad a thywelion a
thywod yng nghefn ein *camper van* ni gartre.

Twt-twt. Mae car mawr, crand yn rholio i stop ym mhen
draw'r maes parcio a dyn golygus, mewn siwt a sbectol haul
ddrud, yn gwthio'i ben drwy'r ffenest.

'Jim!' amneidia ar Dad, wrth iddo gau drws y fan a rhuthro
draw tuag ato, ei fflip-flops yn clepian ar y tarmac. Pwysa
yn erbyn to y car a sgwrsio'n gyfeillgar gyda'r dyn smart,
trwsiadus.

'Wel dyna neis,' meddai'n llawen, wrth loncian 'nôl tuag
ataf. 'Mae'r Wilsons wedi ein gwahodd ni draw i'w tŷ nhw
am farbiciw nos yfory. Ma fe Nick yn ddyn pwysig iawn yn

Awstralia. Mae e'n aelod o lywodraeth y wlad.'

'Beth am Mani?' holaf, yn poeni'n sydyn na fyddwn i'n nabod neb yn y parti.

'O – dwi'n siŵr y bydd hi'n iawn iddo fe ddod hefyd.'

Tŵt-twt. Y car mawr crand eto – yn gwibio heibio ar hyd y ffordd fawr. Dwi'n codi fy llaw i chwifio. Ac yn rhewi. Wrth sylwi ar Seb yn eistedd yn dalsyth yn y sedd ffrynt…

… Glaniodd yr awyren ar stribyn cul o wair nesa at adeilad pren gydag iorwg gwyrdd yn dringo ar hyd y muriau. Agorodd y dyn â'r mwstash y drws a'm tynnu, gerfydd fy mraich, allan i'r awyr iach. Roedd hi'n oerach yma na gartre. Ychydig bach yn oerach. Dwi'n cofio hynny. Dwi'n cofio teimlo'r awel yn ffres yn erbyn fy wyneb.

Roedd gwraig brydferth, ei chroen o'r un lliw â chledr fy llaw, yn aros amdanom. Roedd ganddi hi glipfwrdd hefyd ond roedd hi'n edrych yn fwy caredig na'r dyn pwysig, pwysig, a gwenodd yn dyner wrth afael yn fy llaw a'm harwain tuag at yr adeilad urddasol. Roedd plant eraill fel fi, degau ohonynt, yn fechgyn ac yn ferched, gyda chrwyn brown golau, brown tywyll a rhai bron, bron, yn wyn yn chwarae ar y borfa o gwmpas y tŷ.

Fe ddringon ni'r grisiau i ystafell fawr, agored, mwy o lawer na'n caban bach ni gartre. Ynddo roedd degau o welyau, wedi'u gorchuddio â chynfasau sych, gwyn, yn ymestyn yn rhesi taclus ar hyd y muriau. Arweiniodd y wraig fi at un ohonynt, pwyntio ato, ac amneidio. Dywedodd hi rywbeth a dyfalais mai dweud wrtha i roedd hi mai hwn oedd fy ngwely i. Yna, dilynais y wraig eto ar hyd coridor hir, cul at ystafell ym mhen draw'r adeilad.

Tynnodd hi'r ffrog sach dros fy mhen a'm golchi â
sbwng melyn, meddal. Roedd hi'n hymian iddi'i hun wrth
fy ngolchi. Dwi'n cofio hynny. Yn hymian cân fel y byddai
Mam yn arfer ei hymian yn y caban gyda'r nos wrth goginio
swper i Coreen, Kiah a finne. Roedd hi'n hymian wrth iddi
rwbio'r sbwng yn dyner dros fy nghorff blinedig… wrth
iddi olchi ôl neidr fwd Coreen oddi ar fy moch, ac yna'r
dafnau o bridd oddi ar fy nhraed, fy mreichiau a'm coesau
noeth. Yna, siglodd ei phen yn ddigalon wrth edrych ar y
cleisiau ar fy mhenlinie a rhwbio eli oer i mewn i'r briwiau.
Awww… Sychodd fy nghroen â thywel, cyn tynnu ffrog las
dywyll sdiff dros fy mhen, gwisgo sane glân am fy nhraed
a phethe rhyfedd o'r enw 'esgidie' am fy nhraed… Yna
agorodd y drws.

Amneidiodd arnaf i fynd allan – i redeg mas yn yr awyr
iach – a dychmygais ei bod hi'n fy ngadael i'n rhydd. Ond
roedd ffens uchel yn amgylchynu'r tŷ a doedd dim modd
ennill rhyddid.

'Does dim pwynt i ti drio dianc,' clywais lais bachgen
yn gweiddi arnaf o gysgod y goeden ffrwythau gyfagos.
Roedd e'n pwyso yn erbyn y boncyff, yn bwyta afal.

'Ble ydw i?' holais, gan gerdded draw tuag ato.

'Cartref plant Boongirani. Cartref i blant Aborigini,'
atebodd, gan daflu bonyn ei afal ar y llawr.

'Ond mae gen i gartref,' protestiais, gan feddwl am ein
caban bach ni yn yr anialwch, gyda'r blancedi ar wasgar ar
hyd y llawr a'r ffenestri sgwâr bychan, gyda bagiau plastig
yn ein hamddiffyn rhag y dwst a'r oerfel.

'Dim rhagor – fyddi di ddim yn mynd adre eto. Yma y byddi di nawr, AM BYTH,' meddai, gan ostwng ei ben tua'r llawr. 'Os nad wyt ti'n un o'r rhai lwcus.'

'Un o'r rhai lwcus?'

'Os na fyddi di'n cael dy fabwysiadu gan deulu newydd.'

'Ond mae gen i deulu,' protestiais, gan feddwl am Coreen a Kiah yn rhedeg nerth esgyrn eu coesau at ein coeden ni. Gan feddwl am Mam – ei sgrech yn dal i atsain yn fy mhen. 'Mae gen i deulu...'

'Dim rhagor,' meddai'r bachgen yn dawel, gan rythu ar y baw a'r dwst. 'Dim rhagor.'

'Ond pam?'

'Achos...' gwyrodd y bachgen tuag ataf, a sibrwd yn fy nghlust. 'Achos maen nhw wedi dy gymryd di nawr. Achos dydyn nhw ddim yn deall. Dydyn nhw ddim yn deall ein ffordd ni o fyw.' Cododd ei lygaid i edrych arnaf, a gwelais fod hiraeth a thristwch yn llechu, fel cyfrinachau, yn eu cysgodion. 'Achos maen nhw'n meddwl eu bod nhw wedi dy achub di rhag bywyd trist, caled a chreulon. Achos maen nhw'n credu bod y bywyd hwn, eu bywyd nhw, yn well na'n bywyd ni.'

Ond bob nos, cyn mynd i gysgu yn fy ngwely caled yn y dorm, yn sŵn chwyrnu a chrio y plant bach eraill, do'n i ddim yn gallu atal fy hun rhag meddwl am yr holl chwerthin wrth i mi gwrso ar ôl Coreen a Kiah drwy'r pridd coch o dan yr awyr las. Doeddwn i ddim yn gallu atal fy hun rhag meddwl am Mam, yn canu ac yn hymian wrth goginio swper yng ngolau'r lleuad. Doeddwn i ddim yn gallu atal fy hun rhag meddwl am Wncwl Frank yn adrodd chwedlau o dan ein coeden ni yng ngwres yr haul. Doeddwn i ddim yn gallu atal fy hun rhag meddwl amdanyn nhw. Sut y gallai hynna fod yn waeth na hyn?

Ac yna un bore, wrth i fi dacluso fy ngwely – plygu'r cwrlid a sythu'r gobennydd – daeth un o'r plant bach eraill draw ataf a dweud wrtha i am frysio draw i swyddfa'r dyn pwysig, pwysig. Sythais fy ffrog fach dynn a brysio ar hyd y landin yn fy esgidiau newydd tuag at ei ddrws mawr pren.

Agorodd y dyn pwysig, pwysig y drws yn eiddgar i'm croesawu. Roedd ganddo ddici-bow smotiog am ei wddf heddiw ac roedd e'n siarad mewn llais neis-neis o seimllyd – mor wahanol i'r llais crac, creulon y byddai'n ei ddefnyddio i'n dwrdio ni fel arfer...

Doeddwn i ddim yn deall y geiriau. Ddim yn deall dim... i ddechre. Ond yna, yn sydyn, sylwais fod gŵr a gwraig yn sefyll y tu ôl iddo, yn y cysgodion. Gŵr a gwraig yn syllu arna i fel pe bawn i'n anifail mewn sw. Yn syllu, ac yn rhythu, ac yna'n gwenu... A heb ddeall gair, deallais yn iawn pam fy mod i wedi cael fy ngalw ato'r pnawn hwnnw. Deallais beth oedd yn digwydd.

Edrychais ar y teulu bach... Y tad: yn ei siwt streipiog smart, yn sbecian arnaf dros ei sbectol. Y fam: mewn sgert dynn binc, ei bochau'n gwrido yn y gwres. Do, deallais y cyfan. Teimlais chwa o dristwch ac ofn a hiraeth yn chwyrlïo yn fy mol. Fydd dim mynd 'nôl yn awr.

PENNOD 5

BYD ARALL

Bob tro dwi'n dysgu gair newydd mae'r gair hwnnw fel pe bai e'n ymddangos lle bynnag y bydda i'n troi – ar y radio, ar y teledu, mewn llyfrau ac mewn cylchgronau.

Wel fel 'na dwi'n teimlo ynglŷn â Mr Nicholas Wilson. Byth ers pan wnaeth e sticio'i sbectol haul ddrud mas drwy ffenest y car yn y maes parcio yn Bondi, dwi wedi gweld ei wyneb a chlywed ei enw dro ar ôl tro: mae posteri anferth ohono ar gornel pob stryd; roedd e'n codi'i ddwrn yn uchel wrth annerch torf o bobl ar y *Newyddion* neithiwr; a gwthiwyd ffotograff ohono fe, ei wraig, a Seb i mewn drwy'r blwch llythyrau hyd yn oed! Aaaa… does dim dianc! A nawr, dyma fe eto bore 'ma â'i ên a'i wallt slic du yn llenwi tudalen flaen y papur newydd o dan y pennawd : '*SORRY.*'

'Wwww… ma fe'n bishyn!' yw sylw Shirley wrth iddi daro golwg ar y llun a phasio *smoothie* mefus i fi dros y cownter brecwast yn y gegin.

'Wel smo fi'n lico'r dyn,' medd Anti Helen yn swta, gan godi ei phen o'r *laptop* yn ei chôl. 'Sai'n lico'r boi o gwbwl. Pwy ma fe'n meddwl yw e'n gweud sori fel 'na – fel pe bai un gair bach yn ddigon da?'

'Am faint sy angen i ni weud 'yn bod ni'n sori, Helen? Nag o's modd i ni anghofio'r gorffennol?' yw ymateb pigog Shirley, cyn gafael mewn tiwb o eli haul a diflannu mas i'r ardd.

'Pam bo fe'n gweud sori, Anti Helen?' holaf yn chwilfrydig, gan ddychmygu pob math o ddrygioni…

'Mae e ishe bod yn boblogaidd gyda phobol fel fi,' yw ateb chwerw Anti Helen. 'Trwy ymddiheuro am sut mae pobol frodorol Awstralia – yr Aborigini – wedi cael eu trin ar hyd y blynyddoedd.'

'Ymddiheuro am beth, Anti Helen?'

'Ma hanes yr Aborigini yn Awstralia yn drist iawn, Gwawr fach. Yn drist iawn,' medd hi cyn tawelu. Ac yn sydyn cofiaf am stori Dad yn sôn sut y cafodd yr holl bobl groenddu oedd yn byw fan hyn yn Woollahra eu lladd pan laniodd pobl estron o Ewrop yn Sydney. Cofiaf am stori Mani lan yn y caban yn y goeden, yn sôn am y bobol gafodd eu llofruddio ac am yr heintiau a salwch gafodd eu dwyn i'w plith. 'Ond er bod yr holl bobl bwysig hyn yn dweud sori dro ar ôl tro – does dim byd yn newid,' sigla Anti Helen ei phen yn ddigalon.

'Ym mha ffordd?' holaf yn fusneslyd, gan gofio am eiriau creulon Seb a'r plant eraill a'u chwerthin sbeitlyd wrth wylio Mani ar y traeth.

'Edrycha o dy gwmpas, Gwawr… mae Awstralia'n wlad gyfoethog, lewyrchus – ac eto ma'r Aborigini yn dlawd, yn dlawd iawn. Ma nhw'n marw ugain mlynedd yn gynt na gweddill pobl y wlad – fedri di gredu hynna? Ma nhw'n dweud fod pobl yn Sudan yn iachach na ni'r Aborigini fan hyn yn Awstralia! Mae'n anghredadwy.' Mae hi'n taro'i dwrn ar y bwrdd yn ddig. 'Yn rong!' Edrychaf ar y dicter yn cronni yn llygaid Anti Helen.

Cofiaf am y dyddiadur o dan fy ngwely. Am y ffotograff rhyfedd, heb wynebau. Cofiaf am y llythyrau a'r straeon trist. Meddyliaf am y tlodi a'r caledi mae hi'n ei ddisgrifio. Ac yna edrychaf ar Anti Helen yn ei throwsus drud, ei sbectol smart a'i *laptop*. Dwi ddim yn deall.

★ ★ ★

Dwi'n eistedd ar erchwyn y gwely yn bodio'r loced rhwng bys a bawd.

Mae mor rhyfedd bod yma, yn rhan o fyd arall Dad o'r diwedd. Dim ond llun yn fy nychymyg oedd y cyfan, tan nawr, ond heddiw mae'r cymeriadau a'r lleoliadau i gyd wedi dod yn fyw yn y papur. Wedi dod i daenu eu lliwiau llachar dros bob man – a gwneud llanast o'r darlun syml, twt, hawdd oedd gen i yn fy mhen.

Sydney – yn fwy prysur a phoblog a phoeth nag oeddwn i erioed wedi'i ddychmygu. A'r bobl – Shirley a'r babi, Anti Helen a Mani… mwy o wynebau nag oeddwn i'n eu disgwyl. Yn gwenu ac yn gwgu a fi ddim yn siŵr iawn ble i'w rhoi nhw yn y llun. Ddim cweit yn siŵr sut maen nhw'n ffitio eto ym mywyd Dad. Yn fy mywyd i.

Dwi'n teimlo fel pe bai rhywun wedi taflu jig-so mawr ar y llawr o fy mlaen a bod y darnau i gyd ar chwâl dros y llawr ym mhob man. Ond dwi ddim yn gwybod ble i ddechre trio rhoi'r darnau at ei gilydd. Mae 'na gymaint yn newydd yma – cymaint i'w ddysgu.

Clywaf gnoc ysgafn ar y drws. 'Haia, bach… ' Gwelaf wyneb Dad yn pipian i mewn i'r ystafell. 'Ga i ddod mewn? Mae'n bryd i ni fynd i'r barbeciw. Ti'n dod?'

'Mh-hm,' atebaf.

'Mi gei di weld ochr arall eto i fywyd yn Awstralia draw yn nhŷ'r Wilsons. Ma'r wlad 'ma'n llawn o sypreisis o'n'd yw hi?!?'

'Ydy,' cytunaf.

'Ti'n setlo'n ocê? Nest ti joio *Nippers*?'

'Mh-hm,' atebaf eto, yn hanner dweud y gwir.

'Mae'n rhyfedd bod mor bell i ffwrdd o gartre – on'd yw hi?' hola, gan sbecian mas drwy'r ffenest fach yn y to tuag at y gorwel. 'Mae'n rhyfedd,' gwena, 'achos er mor braf yw Sydney fe fyddi di'n gweld ishe pethe dwl fel ffacoch cyffredin, palmentydd llwyd a glaw cyn bo hir cei di weld!'

'*As if.*' Dwi'n chwerthin yn dawel – yn meddwl mor sili ma hynna'n swnio fan hyn yn haul braf Awstralia.

'Wir! Ro'n i'n gweld ishe pethe bach am gartre – am fan hyn – yn fuan iawn ar ôl glanio ym Mhrydain!'

Dwi'n chwerthin eto – ond rywle ym mherfedd fy stumog teimlaf gic o hiraeth wrth i eiriau Dad fy atgoffa o Gymru a gartre a Mam. Teimlaf gic o hiraeth wrth feddwl am yr holl bethau bach – fel fy nŵfe lliwgar, fy mrwsh gwallt meddal, fy hoff raglen deledu – sy mor ddibwys ar eu pennau'u hunain ond sy'n dod at ei gilydd i greu fy myd.

'Mae'n drueni nad oes modd i ni fod mewn dau le ar yr un pryd,' ochneidia Dad yn anobeithiol.

'Ydy,' nodiaf. Estynnaf ato a gafael yn ei law. Mae ei fysedd yn cau am fy rhai innau.

'Felly pam dewis fan hyn? Pam dewis fan hyn dros Gymru, a gartre, a Mam a fi… ' holaf o'r diwedd.

Mae Dad yn meddwl yn hir, hir cyn ateb. Mae e ar fin dweud rhywbeth. Yna mae e'n newid ei feddwl. 'Dwn i ddim. Dwn i ddim,' meddai yn y diwedd. 'Ond dyw pethe ddim mor syml ag wyt ti'n ei feddwl, Gwawr.' Sylla o gwmpas yr ystafell wely – ac yna chwifio ei law yn yr awyr. 'Ond mi ddes i adre yn y pen draw gan mai dyma lle ges i fy magu. Gan mai dyma lle dwi'n perthyn,' ychwanega – ac mae ei eiriau'n cicio eto yn fy mola.

'Ond ti'n perthyn i fi,' sibrydaf.

'Ydw. Ydw – dwi'n gwybod. Ond... ' Mae e'n gollwng fy llaw.

'Ond doedd hynna ddim yn ddigon,' gorffennaf ei frawddeg.

★ ★ ★

Mae tŷ'r Wilsons yn focs sgwâr anferth, gyda tho fflat a ffenestri eang yn ymestyn ar hyd y muriau modern, gwastad, gwyn. Dyw e ddim yn edrych fel un o'r hen dai brics a charreg gartre o gwbl. Dwi'n dychmygu dringo'r grisiau a chamu i mewn i long ofod.

'Croeso, bawb!' Daw Mr Wilson i agor y drws yn groesawgar. Mae ganddo ffedog am ei ganol a fforc goginio yn ei law, ac ar ei phen sosej fawr dew. 'Dewch i mewn.' Camwn i mewn i lolfa anferth, agored. Mae'r teledu fel sgrin sinema ac mae 'na acwariwm maint bwrdd gwyn yr ysgol ar hyd un wal. Y tu draw i'r acwariwm, ym mhen draw'r adeilad, mae'r goeden Nadolig a'r mynydd o anrhegion amryliw yn edrych yn rhyfedd yng ngolau llachar y diwrnod hwn o haf.

Clywaf sodlau sgidie yn clecian ar hyd y llawr marmor sgleiniog.

'Croeso mawr...' Mrs Wilson sy'n cerdded, fel model, tuag atom, ei *ponytail* uchel yn chwifio gyda phob cam. 'Fi yw Cathryn,' meddai, gan ysgwyd llaw â Dad.

'A chi yw...' Mae hi'n estyn i blannu dwy gusan, un ar bob boch Shirley. Dwi'n meddwl fy mod i'n gweld y wên yn disgyn – jyst ryw ychydig bach – wrth iddi sylwi ar y bola beichiog yn gwthio'i ffordd allan o dan y crys-T. 'Shirley. Nadolig Llawen...'

'A dyma Gwawr...' Dwi'n gwrido. Mae Dad yn swnio mor falch o fedru fy nghyflwyno i i'w ffrindie pwysig.

'A phwy yw hwn?' hola Mrs Wilson, gan wyro drosodd a chraffu ar Mani.

'Mani – ffrind i'r teulu.'

'O. Wel dyna hyfryd,' meddai, gan wenu'n rhyfedd, cyn estyn ei dwylo at y ddau ohonom. 'Reit, dewch 'da fi – ma 'da fi rywbeth arbennig iawn i'w ddangos i chi'ch dau…' Dwi'n edrych ar Mani, sy'n codi ei ysgwyddau, cyn dilyn ôl sodlau Mrs Wilson yn ufudd ar hyd y llawr slic tuag at ddrws patio gwydr, llydan.

Gafaela Mrs Wilson yn y ddolen, a llithro'r drws yn agored. Am eiliad, dwi'n teimlo fel pe bai hi wedi agor y drws ar fyd o hud a lledrith. Mae coed gwyrdd yn siffrwd eu dail uwchben a'r cloddiau yn byrstio'n binc a choch a phorffor o gwmpas patio concrit, siâp triongl. Mae criw o oedolion mewn sbectol haul a dillad drud yn clincian gwydrau o win o dan ymbarél haul felen.

Yn y pellter, gallaf glywed plant yn gweiddi sgrechian a sŵn sblasio a chwerthin. Rhedaf at ymyl y patio – sy'n hongian fel balconi dros weddill yr ardd – a sbecian dros y ffens fetel i lawr dros y dibyn ar bwll nofio emrallt, siâp u-bedol, yn llawn o blant a pheli dŵr a *lilos*. Mae bwrdd deifio yn pwyso dros un pen a llithren gyrliog las yn arwain i mewn i'r pen arall. Gwelaf Seb yn neidio i'r awyr ac yn plymio fel pelen i mewn i'r pwll.

'Blincin hec,' medd Shirley, gan syllu'n eiddigeddus o'i chwmpas.

★ ★ ★

'Wooooooooooooowwwwwwwwwwwwww!' sgrechiaf, wrth wibio rownd y tro yn y llithren ac i mewn i'r pwll.

'Aaaaa!' Dwi'n clywed Mani'n plymio i mewn i'r dŵr,

reit tu ôl i fi. 'Ma hyn yn sbort – yn *loads* o hwyl!' gwaedda'n hapus.

'Hei!' bloeddia Seb o'r lan, gan geisio denu sylw'r plant yn y pwll. Mae pawb yn ufuddhau ac yn troi i wrando arno. 'Pwy sy am chwarae gêm o bêl foli?'

Dim fi, meddyliaf – ma'n well 'da fi lithro ar y llithren fel hyn, a chwarae deifio tanddwr a sblasho'n sili gyda Mani.

'Naaaa Seb, dy'n ni jyst am neud be y'n ni ishe... ocê,' cwyna un o'r merched hŷn mewn bicini, gan dorheulo'n hamddenol ar un o'r *lilos*. 'Dwi'n mwynhau lle rydw i, diolch.'

'Wel tyff!' medd Seb yn chwyrn, gan luchio'r bêl at wyneb y pwll, yn union fel babi'n taflu ei deganau ar lawr. 'Fy nhŷ i yw hwn. A fi yw'r bòs!'

Deifia i mewn i'r dŵr ac yna rhannu'r criw o blant yn ddau dîm: fe, wrth gwrs, yw capten tîm 'Bondi' a fe, wrth gwrs, sy'n cael dewis yr holl blant cryfa a'r ffita i'w rhoi yn ei dîm e. Ond am ryw reswm dyw e ddim yn pigo Mani. Ni'n dau yw'r ddau fach olaf i gael ein dewis. Tipical! Ymunwn â thîm 'Manley' a dechrau chwarae...

Seb, wrth gwrs, sy'n cael taflu'r bêl gyntaf ac mae e'n ei chodi hi fry i'r awyr ac yn ei tharo tuag at ein tîm ni. Gwyliaf hi'n hedfan, yn troelli, tuag ataf. Dwi'n codi fy nwrn ac yn neidio i fwrw gwaelod y bêl, nes ei bod hi'n chwyrlïo tuag at y tîm arall. Mae bachgen arall yn ei dyrnu'n galed 'nôl ac mae hi'n saethu'n gyflym atom. Mae merch yn ein tîm ni'n codi ei llaw, ond does dim gobaith, ac mae'r bêl yn clatsio yn erbyn wyneb y pwll, gan boeri'r dŵr yn sbeitlyd yn ei hwyneb. Mae pawb o'r tîm arall yn dathlu... ond cyn iddyn nhw sylwi mae hi wedi dial arnynt. Wedi cydio yn y bêl ac wedyn ei hyrddio'n fuddugoliaethus i ben draw'r pwll. Hwrê! Mae pawb yn ein tîm ni'n gweiddi, yn chwerthin ac yn dathlu.

Ond dwi wedi blino ar y gêm yn barod, felly dwi'n nofio'n dawel at y grisiau gan ddringo mas o'r dŵr. Dwi'n lapio fy hun mewn tywel cotwm, cynnes ac yn troi i wylio'r plant eraill yn chwarae. Sylwaf ar y bechgyn hynaf, cryfaf yn neidio'n uchel i'r awyr gyda'u llygaid a'u cyhyrau'n dynn wrth ddilyn symudiad y bêl. Sylwaf ar y merched, yn codi eu breichiau'n raslon ac yn gwneud iddi hofran, a hedfan drwy'r awyr. A sylwaf ar Mani'n gweiddi, yn galw amdani. Ond does neb yn pasio'r bêl iddo fe. Felly mae e'n nofio'n dawel at ben pella'r pwll ac yn codi ei hun i'r lan. Ar ei ben ei hunan bach.

Dwi'n sychedig nawr. Felly cerddaf 'nôl tuag at y tŷ.

★ ★ ★

Arllwysaf y lemonêd i'm gwydr ac yna'i osod yn y bocs bach arian ar flaen yr oergell. Gwasgaf y botwm 'ice' a gwylio darnau bach o rew yn crensian o'i grombil a disgyn yn dwt i'm diod.

Mae'r rhieni'n dal i fwynhau eu gwin a'u *hot-dogs* yn yr haul tu allan ond mae'n neisach yma yn y cysgod, felly dwi'n sipian fy niod yn araf ac yn cerdded yn dawel, ar fy mhen fy hun, o gwmpas y gegin… Edrychaf ar y ffotograff o Seb ar y wal. Mae e'n gwisgo ei siwt *Nippers* ac yn cydio mewn cwpan aur. Gwelaf fod y cwpan ei hun yn eistedd yn falch mewn cabinet yn y gornel. Cerddaf draw ato a darllen y geiriau sydd wedi'u sgythru ar ei wyneb: 'Seb Wilson. Bondi Nippers Under 12s Champion.'

Sipiaf fy lemonêd eto, gan fwynhau teimlo'r marmor oer o dan fy nhraed noeth. Cripiaf i mewn i'r lolfa a sleifio'n ddistaw bach at yr acwariwm anferth. Mae degau o bysgod bach amryliw yn heidio gyda'i gilydd o gwmpas y tanc, ond mae 'na un pysgodyn du a gwyn prydferth, gyda chynffon felen, yn nofio i'r cyfeiriad arall, ar ei ben ei hunan bach. Meddyliaf am Mani yn eistedd ar ei ben ei hun wrth ymyl y pwll. Trwy'r gwydr gallaf weld y goleuadau ar y goeden Nadolig yn disgleirio a'r lliwiau'n dawnsio gyda neon y pysgod...

Ac yna, rhwng y pysgod a'r planhigion gwelaf fod rhywun arall yn yr ystafell gyda fi. Dim ond ei amlinell sydd i'w weld trwy'r gwydr a'r dŵr o'm blaen ond gallaf weld mai plentyn sydd yma. Plentyn – bachgen dwi'n meddwl – gyda choesau hir a main a gwallt tonnog, tywyll. O'm cuddfan, tu ôl i'r tanc, gwyliaf e'n pwyso at waelod y goeden. Mae e'n gafael yn un o'r parseli o blith y mynydd o anrhegion. Yn ei astudio gyda'i fysedd. Ac yn ei ollwng, yn daclus, i mewn i'w fag. Dwi'n plygu yn fy nghwrcwd yn y cysgod, ac yn aros iddo gau'r drws yn ddistaw o'i ôl...

... Do'n i ddim yn gallu credu fy llygaid y tro cyntaf i fi weld y tŷ. Nawr dwi'n gwybod mai dim ond tŷ teras digon cyffredin yw e, ond i fi, ar y pryd, roedd e fel castell, yn dri llawr cyfan o goridorau cul yn arwain at ystafelloedd o bob lliw a llun! Roedd fy ystafell wely i yn yr atig yn fwy na'n caban cyfan ni yn yr Outback, gyda gwely meddal a thrawstie yn gwyro fel canghennau yn y to. Roedd yno ffenest fach hefyd, ac felly gallwn orwedd yn y gwely yn gwylio'r sêr. Roedd hi'n rhyfedd meddwl falle fod Coreen a Kiah mas 'na'n rhywle yn edrych ar yr un sêr â fi. Yn rhyfedd meddwl falle'u bod nhw'n meddwl amdana i...

A'r peth rhyfeddaf oll am y tŷ oedd yr ardd – yn stribyn bychan bach o borfa wedi'i amgylchynu â ffens fawr bren.

Doeddwn i ddim yn hoffi'r ardd. Roedd hi'n teimlo fel carchar, fel cawell o gloddiau gwyrdd i fi – mor wahanol i ryddid agored yr anialwch. Doeddwn i ddim yn deall sut roedd Mr a Mrs Jones yn gallu codi ffens a wedyn meddwl fod y darn bach yna o dir yn eiddo iddyn nhw. Dyna pam roeddwn i mor hoff o fynd gyda James i Bondi a sefyll yn droednoeth ar y traeth. Achos roedd y môr yn teimlo mor fawr a mor eang fel nad oedd dim siawns yn y byd y gallai unrhyw un roi ffens o'i gwmpas... Ond roedd arna i ofn i ddechrau. Doeddwn i erioed wedi gweld môr o'r blaen ac ro'n i'n meddwl y byddai'r tonnau'n fy llyncu i ac yn fy mhoeri i mas yn erbyn y creigie! Dyna ddwl! Dyna dwp oeddwn i. Twpsyn.

Twpsen. Dyna oedd pawb yn fy ngalw i yn yr ysgol. Twpsen. Doeddwn i ddim yn gallu siarad eu hiaith nhw o gwbl pan gyrhaeddais i yno ond ro'n i'n gwybod digon i ddeall bod y geiriau'n gas – yr enwau creulon y bydden nhw'n eu poeri ata i wrth dynnu fy ngwallt i, wrth ddwyn fy arian poced o fy mhwrs i. Doeddwn i ddim yn gwybod sut i ateb 'nôl yn iawn, felly byddwn i'n sgrechian, yn eu rhegi yn fy iaith fy hun. Roeddwn i'n gryf a byddwn i'n cicio a chrio dros y lle wrth i'r athrawon fy llusgo i bant... Ac roeddwn i'n gwybod fod yr athrawon yn sibrwd amdana i hefyd. Twpsen. Twpsen. Person gwyllt. Fel anifail o'r coed. Dyna fydden nhw'n ei ddweud bob tro.

Dwi'n cofio un diwrnod yn gliriach na'r un arall. Ro'n i'n ddeuddeg oed erbyn hynny dwi'n meddwl ac yn gallu siarad digon i fedru dilyn gwersi ac ateb cwestiynau yn y dosbarth. Roedd hi'n bnawn dydd Gwener, a bron yn bryd mynd adre. Ond ro'n i'n gwrando'n astud ar Mr Howard, ein hathro brwdfrydig, bywiog, yn dechrau gwers yn esbonio sut y cafodd y byd ei greu filoedd ar filoedd o flynyddoedd yn ôl...

'Felly blant...' holodd ar ddechrau'r wers, 'sut y cafodd y byd ei greu?' Saethodd fy llaw i'r awyr yn eiddgar. Ro'n i'n siŵr – yn hollol siŵr am y tro cyntaf erioed fy mod i'n gwybod yr ateb.

'Yr Enfys-Neidr, Mr Howard!' meddwn i'n frwd gan gofio straeon amryliw Wncwl Frank. 'Yr Enfys-Neidr greodd y byd yn ystod cyfnod y Breuddwydio,' esboniais yn hapus. 'Fe wnaeth e amlusgo'i ffordd drwy'r tywod a chreu afonydd a mynyddoedd ar hyd y ffordd...'

Edrychodd Mr Howard arna i'n syn. Pesychodd. A gollwng ei sialc. 'Pardwn?' meddai.

'Yr Enfys-Neidr...' meddwn i unwaith eto, fy llais yn dawelach yr eilwaith. Roedd yr holl blant eraill wedi troi i syllu arnaf.

'Helen Jones...' Tynnodd Mr Howard anadl ddofn a dechrau cerdded at fy nesg. 'Helen Jones... Chwedl – STORI i blant yr Aborigini dwl yw honna. Nonsens! Nonsens a ffantasi!' meddai'n ffroenuchel. 'Pwy ar wyneb y ddaear fyddai'n ddigon dwl – yn ddigon twp – i feddwl fod y byd i gyd yn grwn wedi cael ei greu gan... NEIDR?'

Dechreuodd pawb yn y dosbarth giglan. Dechreuodd pawb yn y dosbarth – yn cynnwys Mr Howard – chwerthin yn uchel heb reolaeth. Meddyliais am Wncwl Frank, yn cerdded yn droednoeth bob dydd dros yr anialwch, yn gwybod enw pob coeden, yn gallu dweud, jyst wrth fwrw'i droed yn erbyn y ddaear, a oedd storm ar y gorwel. Ac edrychais ar y plant o'm cwmpas, yn clywed am y tywydd ar y teledu ac yn lladd trychfilod yn iard yr ysgol. Meddyliais am eu stori am rywrai o'r enw Adda ac Efa. Onid oedd neidr yn rhan o'u fersiwn nhw o hanes dechrau'r byd hefyd? Yna meddyliais am theori wyddonol Mr Howard ynglŷn â rhyw Big Bang – doedd neb wedi profi hynna chwaith, felly pwy oedden nhw, y plant dinesig hyn, i ddweud mai fy fersiwn i o'r un stori oedd yr un anghywir? Pam bod ganddyn nhw'r hawl i feddwl bod fy ffordd i o fyw, a fy ffordd i o feddwl, yn nonsens? Pa hawl…

'Paid â chrio, cariad…' Daeth Mrs Jones i eistedd wrth fy ochr i – a finne'n wylo'r glaw ar y stepen y tu fas i gât yr ysgol ar ddiwedd y pnawn. 'Bydd popeth yn iawn, dwi'n addo i ti…' Rhoddodd ei braich amdanaf.

'Ond roeddwn i jyst ishe iddyn nhw wybod y…'

'Shhh… shhh nawr, calon – mae'n well i ti beidio â siarad am bethe fel 'na. Iawn? Mae'n well anghofio. A symud mlaen.'

'Ond Wncwl…'

'Shhh… shh nawr. Dyna ferch dda. Tawelwch biau hi. Tria beidio â sôn am bethe fel 'na eto, o'r gorau? Dyw pobl ddim yn hoffi clywed am bethe fel 'na yn Sydney. Ocê?'

'Ond…'

'Shh… shhh – dyna ddigon,' gwasgodd ei braich yn dyner amdanaf. 'Shhh – mae'n amser symud mlaen ac anghofio'r gorffennol. Dyna fydde ore. O'r gore?'

A byth ers y diwrnod hwnnw gweithiodd Mrs Jones yn galed i drio gwneud yn siŵr fy mod i'n edrych – ac yn bihafio – fel merched eraill yr ysgol. Byddai hi'n sythu fy

69

ngwallt cyrliog gwyllt â haearn smwddio bob bore ac yn prynu pob math o ddillad ffasiynol a sgidie smart i fi fel y dillad a wisgai'r merched tal, tenau, gwyn yn y cylchgronau sgleiniog ar fwrdd y gegin gartre...

Byddai hi hyd yn oed yn mynd â fi i – fel ar y dydd Sadwrn hwnnw, pan aeth Mrs Jones â fi i siopa am ddillad yn Paddington – y ddwy ohonon ni'n chwilota rhwng y flares a'r blowsys a'r sodle uchel main.

Roedd y siopau'n brysur fel cychod gwenyn, a'r cwsmeriaid yn hofran uwchben y dillad amryliw.

'Y'ch chi'n lico hwn?' holais yn bryfoclyd gan dynnu top sicwins tyn ych-a-fi oddi ar y bachyn a'i chwifio o dan drwyn Mrs Jones.

'Helen! Nac ydw. Nac ydw i wir,' meddai hi'n ddifrifol, gan ddwrdio a rhoi'r hanger 'nôl i hongian yn ei le. 'Ma hwn lot yn fwy – hm – priodol...' meddai, gan amneidio at flowsen flodeuog ar un o'r modeli yn y siop. 'Lot yn fwy addas.'

'Beeeth? Ma hwnna'n afiach! Yn boring,' medde fi, gan lygadu'r ffrog fer, amryliw, ar y fodel arall.

'Wwww...' clywais lais Mrs Jones yn diflannu i'r pellter, wrth i rywbeth blodeuog afiach arall ddal sylw ei llygaid ym mhen draw'r siop, felly sefais wrth ymyl y fodel ar fy mhen fy hun, yn byseddu ffabrig ei ffrog yn edmygus gyda'm bysedd. Dwn i ddim ai fi oedd yn dychmygu'r craffu – ond dwi'n cofio teimlo llygaid rhai o'r siopwyr eraill yn llosgi, fel bysedd yr haul, yn erbyn fy nghroen. Dwi'n cofio teimlo gwres eu golygon yn ciledrych arna i wrth iddyn nhw siopa, yn cofio clywed eu sibrwd milain. Gwridais a brysio o'u ffordd, heibio i'r bagiau-llaw a'r dillad isa, at y silffoedd o sbectolau haul yn y gornel. I'r cysgodion.

'Mmmm...' Gwthiais bâr anferth o sbectolau, gyda lensys maint gwydrau yfed, ar fy nhrwyn a thynnu siapse. 'Fi'n edrych fel seren Hollywood!' meddyliais, gan wenu yn y drych. Ond, yna, yn yr adlewyrchiad sylwais fod y ferch tu ôl i'r cownter yn pwyntio tuag ata i ac yn siglo'i phen am ryw reswm. Gwyliais wedyn wrth iddi amneidio ar ddyn smart mewn crys a thei i frysio draw tuag ati. Dywedodd rywbeth wrtho'n ddig, cyn pwyntio ata i unwaith eto. Dwi'n cofio teimlo'n anghyfforddus. Mor anghyfforddus. Pam bod y ferch a'r siopwyr a'r dyn mewn crys a thei i gyd yn syllu, yn rhythu arna i? Rhoddais y sbectol 'nôl yn eu lle a brysio mas i'r awyr iach.

Yn sydyn, teimlais dap ar fy ysgwydd – safai'r dyn mewn crys a thei tu ôl i fi. 'Esgusodwch fi, ond wnewch chi ddychwelyd y sbectol haul os gwelwch yn dda?' meddai'n awdurdodol. 'Naill ai ry'ch chi'n eu dychwelyd nhw neu rydw i'n ffonio'r heddlu.'

'Esgusodwch fi?' camodd Mrs Jones yn bryderus o'r siop a dod i sefyll o'm blaen yn warchodol. 'Beth sy'n digwydd fan hyn?'

'Hon,' poerodd y dyn, gan edrych i lawr ei drwyn arnaf fel pe bawn i'n damed o faw. 'Mae hi newydd ddwyn sbectol haul o'r siop!'

'Naaaa...' siglais fy mhen. 'Wir. Fe roies i nhw 'nôl yn eu lle. Dwi'n addo.'

'Nonsens. Does dim pwynt gwadu'r peth – fe welon ni'ch bysedd budron yn gafael ynddyn nhw... Ry'n ni'n gwybod yn iawn eich bod chi wedi eu dwyn nhw.' Gwgodd arnaf. 'Ry'n ni'n nabod eich teip chi rownd fan hyn. Yn gwybod beth i'w ddisgwyl.' Crychodd ei drwyn. 'Does dim croeso i bobl fel chi yma.'

Ro'n i'n disgwyl i Mrs Jones ei ateb yn ôl. Ro'n i'n disgwyl iddi ddweud rhywbeth – unrhyw beth – i'm hamddiffyn i. Ond wnaeth hi ddim.

'Faint ydyn nhw?' holodd yn ddistaw.

'Tair doler,' oedd yr ateb swta.

'Wel dyma chi.' Estynnodd Mrs Jones am yr arian o'i phwrs a'u rhoi yng nghledr llaw'r dyn mewn siwt a thei. Yna gafaelodd ynof a'm harwain oddi yno. Daliai ei phen yn isel, wrth fynd drwy'r dyrfa o bobl oedd wedi ymgynnull o'n cwmpas ar y palmant.

'Ond Mrs Jones…' plediais, wrth weld y siom yn ei llygaid. 'Nid fi wnaeth. Onest…' Erfyniais arni, wrth i ni wau ein ffordd drwy'r bobl yn eu prysurdeb 'nôl at ein car. ''Nes i ddim dwyn y sbectol haul.'

Gwthiodd yr allwedd i'r clo, a throi i edrych arnaf. 'Dwi'n gwybod, cariad,' sibrydodd yn isel, gan siglo'i phen yn drist. 'Ond does dim ots. Does dim ots.'

'Sai'n deall.'

'Does dim ots a wyt ti'n euog ai peidio, Helen fach. Mae'n rhaid i ti ddysgu hynna. Mae'n rhaid i ti ddysgu hynna.'

Eisteddodd y ddwy ohonom yn fud yr holl ffordd adre. Roedd ei geiriau'n troi fel nadredd yn fy mhen. Does dim ots. Dim ots a ydw i'n euog ai peidio. Dim ots. Dyna ddwedodd hi. Does dim ots. Dim ots a ydw i'n dda neu'n ddrwg. Dim ots a yw fy ngwallt i'n syth. Dim ots a yw fy nillad i'n smart. Dim ots a ydw i'n glyfar neu'n dwp. Dim ots a ydw i'n dlawd neu'n gyfoethog. Dim ots yn y byd. Achos tra bod fy nghroen i'n ddu a'u byd nhw'n wyn fydd dim byd byth yn newid.

PENNOD 6

CYNLLWYN

Gwthiaf fy mhen i mewn drwy'r twll yng nghanol llawr y tŷ yn y goeden. Wrth ddringo i fyny'r ysgol raff, gallwn glywed lleisiau yn gymysg gyda sŵn siffrwd y dail uwch fy mhen, a nawr, wrth edrych o'm cwmpas, gwelaf fod dau fachgen a merch yma gyda Mani. Dwi'n nabod eu hwynebau. Ond dwi ddim yn siŵr o ble. Doedden nhw'n sicr ddim draw yn nhŷ Mr Wilson ddoe...

'Haia, Gwawr,' medd Mani'n frwd, wrth weld copa fy mhen tywyll yn codi i ganol ei ystafell fach rhwng y canghennau. 'Dwi'n falch dy fod di wedi dod. Croeso i'r cyfarfod!'

Edrychaf arno mewn penbleth. Roedd fy mhen i wedi bod yn troi ers i'r amlen fechan gael ei gwthio o dan ddrws fy ystafell wely yn gynharach pnawn 'ma, heb i fy sylwi. Ynddo roedd darn o bapur ac arno'r nodyn rhyfedd mewn ffelt-tip coch: 'Gwawr. Cyfarfod pwysig. Caban y goeden. 5pm. Heno.'

A nawr dyma fi. Mae hi'n 4.55pm ac mae'n amlwg fod y cyfarfod ar fin dechrau gan fod y pedwar arall wedi ymgynnull, yn grŵp bach tyn, o gwmpas y gist fechan yng nghanol y llawr. Eisteddaf ar glustog gyfforddus gyferbyn â Mani.

'Cyflwyniadau i ddechrau,' cyhoedda yntau'n swyddogol, fel cadeirydd pwyllgor pwysig, go iawn. 'Dyma Gwawr.' Mae'r plant eraill yn troi tuag ataf yn groesawgar. 'A dyma

Kate, Breaks a Peter.' meddai, gan gyflwyno'r tri arall yn eu tro.

Kate: mewn flip-flops pinc â'i gwallt yn gudynnau o *dreadlocks* am ei hysgwyddau. Breaks: ei benlinie'n gleisiau i gyd, a *skateboard* lliwgar yn pwyso yn ei erbyn ar ymyl y gist. A Peter: ei groen yn frown, fel croen Mani. Mae'r tri – yn eu *board-shorts* bagi a'u crysau-T llac – yn edrych yn fwy sgryffi na'r plant oedd yn y barbiciw ddoe. A lot yn fwy cŵl. Ac yn sydyn dwi'n cofio lle dwi wedi gweld eu hwynebau o'r blaen. Yn y clwb Nippers! Yn sydyn dwi'n cofio mai dyma'r tri oedd yn neidio ac yn gweiddi ac yn sgrechian ar Mani i ennill y ras redeg drwy'r tywod. Yn sydyn dwi'n cofio mai'r tri yma oedd yn cefnogi Mani tra bod Seb a'r criw yn chwerthin am ei ben.

'Pwrpas y cyfarfod yma...' medd Mani'n ffurfiol, mewn llais dwfn, difrifol, 'yw trafod gornest fawr flynyddol y Nippers ar Noswyl Galan.' Mae pawb arall yn nodio'n eiddgar. 'Ac i drafod sut medrwn ni sicrhau nad yw Seb Wilson yn ennill unwaith eto eleni – yn arbennig ar ôl be ddigwyddodd llynedd.' Mae Mani'n taro'i law yn bendant a chadarn yn erbyn top y gist cyn ychwanegu: 'Ydi, mae hi'n amser dial ar y bwli bach creulon, unwaith ac am byth!'

'Wo-wo!' Mae Breaks yn chwibanu.

'Ti'n iawn, Mani. Dyw beth ddigwyddodd llynedd ddim yn deg. Mae'n rhaid – rhaid – i ni roi stop ar Seb eleni.' Kate sy'n siarad nawr, mae ei llais hi'n codi ac mae hi'n amlwg yn ddig am rywbeth. 'Y'ch chi'n gwybod be wnaeth e i Peter ddoe?'

'Paid, Kate,' ymbilia Peter arni.

'Nath e fflysho *Speedos* Peter lawr y tŷ bach!' medd Kate gan anwybyddu Peter yn llwyr ac ateb ei chwestiwn ei hun.

'Ac rodd yn rhaid i Peter wisgo rhai sbâr ei dad, odd lot yn rhy fawr iddo fe. A hynna jyst achos fod Peter yn nofiwr clouach na Seb!'

'Wir?' medde fi'n anghrediniol, gan droi at Mani. 'A be ddigwyddodd llynedd, Mani?' holaf.

'Mi wnaeth e fygwth rhai o aelodau newydd y clwb syrffio, Gwawr...' ateba Mani. 'Eu bygwth nhw yn yr ystafelloedd newid yn syth cyn ffeinal y syrffio. Eu bygwth nhw a dweud fod yn rhaid iddyn nhw eu helpu fe i fy mlocio i a Peter rhag ennill y ras syrffio. Rhag ennill y ffeinal. Felly, gès pwy enillodd?' Cofiaf am y cwpan mawr aur yn y cwpwrdd yng nghegin grand a slic Mr a Mrs Wilson.

'Seb?' cynigiaf, gan wybod beth oedd yr ateb yn iawn.

'Ie,' ychwanega Breaks, 'ac felly ry'n ni i gyd wedi cael llond bol.'

'Llond bol,' cytuna Kate. 'Mae hi'n hen bryd dial ar Seb a'i gang.'

'Ond sut?' hola Peter yn dawel, gan ysgwyd ei ben a phwyso'i ên yn erbyn ei benliniau'n anobeithiol. 'Sut yn y byd...'

Ac edrychaf o'm cwmpas ar y pedwar hyn, yn glwstwr siang-di-fang o *dreadlocks* a dillad anniben, a meddyliaf am y plant ddoe – eu gwallt yn bigau a *ponytails* taclus, eu bywydau yn symud mor rhwydd â llithro ar hyd llithren i mewn i bwll nofio cynnes. Dim gobaith, meddyliaf.

'Aha!' Clywaf lais Mani, yn torri'n hapus trwy'r meddyliau digalon sy'n hel yn fy mhen. Mae e'n codi ar ei draed ac yn cerdded tuag at *rucksack* yng nghornel bellaf y caban. Dychwela atom. Mae allwedd dew, hen-ffasiwn yn disgleirio yng nghledr ei law. 'Pam ry'ch chi'n meddwl 'nes i'ch gwahodd chi yma heno?' hola'n griptig, gan blygu yn ei gwrcwd a throi blaen y gist fach bren tuag ato. Mae e'n gwthio blaen yr allwedd i mewn i dwll-y-clo ar flaen y gist ac yn ei throi yn araf a gofalus. Clic. Mae e'n codi'r caead a gwelaf fod losins a chylchgronau a chardiau chwarae wedi'u storio'n daclus ynddo. Yna, gwelaf ef yn gafael mewn rhywbeth. Mae e'n cau'r caead ac yn gosod teclyn bychan twt i orwedd yn daclus ar ben y gist. Mae'r pump ohonom yn gwyro'n fusneslyd drosto. 'Mae gen i gynllun. Ry'n ni'n mynd i ddal y cyfan ar ffilm,' cyhoedda, wrth inni syllu ar y camera fideo bychan, arian, yn disgleirio yng ngolau gwan yr hwyr.

★ ★ ★

Mae'r barcutiaid amryliw yn hofran ac yn plygu uwchben, fel pe baen nhw'n syrffio ar yr awel. Gwyliaf un barcud, ar siâp pysgodyn anferth, yn codi ac yn chwyrlïo'n uwch, yn gynt na'r barcutiaid eraill, i fyny, fry i'r awyr las glir…

Dwi a Dad a Shirley'n ymlwybro ar hyd y rhimyn o lwybr, sy'n ymestyn o un pen i draeth Bondi i'r llall, yn bwyta salad ffrwythau ffres. Mae Shirley'n glafoerio'n eiddigeddus ar gyrff tenau, perffaith y merched sy'n loncian ac yn sglefrolio heibio mewn bicinis a siorts.

'Dwi wedi blino,' meddai'n bwdlyd. 'Fi'n *bored* a ddim moyn cario'r lwmpyn 'ma rownd gyda fi i bob man.'

'Paid â phoeni, blodyn.' Gafaela Dad yn ei llaw. 'Dim ond mis arall sydd ar ôl a bydd y cyfan drosodd.'

Mis. Dim ond mis arall tan y bydd fy mrawd neu fy chwaer fach newydd yn dod i'r byd. Dim ond mis. Fe fydda i 'nôl adre gyda Mam erbyn hynny ond teimlaf gyffro rhyfedd yn cronni yn fy stumog wrth feddwl am gwrdd â'r babi bach am y tro cyntaf. Dwi ddim yn hoffi'r teimlad. A dwi ishe bod yn grac, grac am y peth o hyd…

'Allwn ni ishte lawr, plîs?' gofynna Shirley yn gwynfanllyd, gan ollwng llaw Dad a stompian at fainc gyfagos. 'Ma'r peth 'ma mor drwm!' Gwelaf ei bod hi wedi bod yn chwysu ac am eiliad fechan teimlaf yn flin drosti yn gorfod cario cymaint o bwysau o gwmpas yng ngwres llethol Awstralia.

Does dim lle i Dad a fi eistedd ar y fainc hefyd, ac mae e'n fy rhoi i i eistedd ar ei lin, fel pan oeddwn i'n ferch fach. Teimlaf ei fysedd yn cosi yn erbyn croen fy nghefn yn dyner a chofiaf am y nosweithiau pan fydde fe'n adrodd storïau nos da i fi fel hyn cyn mynd i'r gwely. Yn y pellter, gwyliaf y barcud siâp pysgodyn yn hedfan i mewn i drywydd barcud du, siâp triongl pigog – maen nhw'n stopio'n sydyn ar eu taith. Ac yn disgyn i'r llawr.

'Wyt ti wedi ei holi hi, eto?' sbecia Shirley ar Dad dros ei sbectol haul.

'Na, ddim eto, Shirl.'

'Wel *hurry up*,' snapia ar Dad – mae hi'n swnio mor ffed-yp. Fel petai hi wedi cael llond bol – ohono i?

'Shirl, plîs. Ti jyst wedi blino.'

'Beth sy'n mynd mlaen, Dad?' Teimlaf lwmp yn fy llwnc. Am beth maen nhw'n dadlau, tybed? Amdana i? Amdana i maen nhw'n siarad? Ac yn sydyn teimlaf yn unig, wrth feddwl am Shirley a Dad yn siarad ymysg ei gilydd amdana i 'nôl adre yn y tŷ yn Woollahra. Yn sydyn, teimlaf fel dieithryn, yn torri ar draws eu byd bach preifat nhw.

'Mae Shirley ishe i fi holi i ti a hoffet ti fynd bant am gwpwl o ddyddie... gydag Anti Helen?' Teimlaf y lwmp yn gwasgu, yn gwasgu yn erbyn cefn fy ngwddf. Yn gwasgu'r anadl o'm ceg nes fy mod i'n teimlo'n sâl. Dwi wedi dod yr holl ffordd yma, i'w weld e. A nawr dyw e ddim ishe fy ngweld i. Dyw e ddim ishe fi.

'Be?' Teimlaf fy ngwefus yn crynu a dwi'n cnoi fy nhafod yn nerfus.

'Anti Helen wnaeth holi a hoffet ti fynd gyda hi a Mani i gwrdd â'i theulu hi yng nghanolbarth Awstralia am gwpwl o ddiwrnode jyst cyn y Nadolig... mae e'n lle ffantastig, Gwawr. Bydd e'n brofiad anhygoel i ti!'

Ond dydw i ddim yn gwrando. Dydw i ddim yn gallu stopio meddwl am y ffaith fy mod i wedi teithio am ddiwrnod cyfan ar fy mhen fy hun bach yma i Awstralia i'w weld e, a nawr ei fod e ishe fy mhacio i mewn ces a'm gyrru i bant gyda Anti Helen yn bell, bell i ffwrdd oddi yma. Teimlaf y siom yn diferu fel dagrau y tu mewn i mi... A chofiaf eto am y bore pan ddaeth Mam i mewn i fy ystafell wely i ddweud fod Dad wedi ein gadael ni.

Dyna sut mae hyn yn teimlo. Eto. Mae e wedi gwneud yr un peth i fi eto. Teimlaf y siom yn diferu ac yn diferu ei ddagrau'n ddiddiwedd ym mhwll fy stumog. Yn diferu ac yn cymysgu gyda'r ofn a'r tymer a'r gweiddi sydd wedi cronni yno ers blynyddoedd. Yn cronni ac yn cymysgu ac yn troi ac yn trosi y tu mewn i fi.

'Be sy, Gwawr?' hola Dad yn nerfus.

Ac yn sydyn teimlaf fy ngwefusau yn agor wrth i holl siom y blynyddoedd ffrwydro a llifo heb reolaeth allan o'm ceg.

'Dwi'n dy gasáu di!' sgrechiaf dros y lle gan godi ar fy nhraed i'w wynebu – dwi'n gwybod fod pobl wedi troi i sbio, ond sdim ots 'da fi. Dim ots am neb na dim. 'Dwi'n dy gasáu di!' Teimlaf y dicter yn gwrido fy ngruddiau a'r tristwch yn poeri ei ddagrau o'm llygaid.

'Dwi'n dy gasáu di, Dad!' Taflaf fy mowlen o salad ffrwythau tuag ato, nes bod y sudd a'r darnau o afal pîn a melon yn powlio ar hyd blaen ei grys-T.

'Gwawr,' medd Dad yn amyneddgar, heb godi ei lais. 'Stedda lawr, cariad.'

Ond dydw i ddim ishe iste lawr. Ddim ishe bod yn agos ato fe. Ddim ishe bod yn agos i fan hyn. 'Dwi'n dy gasáu di hefyd, Shirley! Ti a'r bola mawr tew yna! Dwi'n dy gasáu di – ac yn casáu'r babi hyll sy y tu mewn i ti. Yn ei gasáu e!' bloeddiaf dros bob man.

'Gwawr, ymddiheura. Nawr.' Mae Dad yn sefyll ar ei draed erbyn hyn – ei lais yn dechre codi'n daran.

'Na!' sgrechiaf unwaith eto. 'Naaa!' Dwi'n gwasgu cledrau fy llaw yn erbyn fy llygaid, ac yn ceisio rhwbio'r atgofion o Mam a Dad a fi oddi arnynt. Ond dwi'n methu. Yn methu. 'Naaa!' Edrychaf ar Dad a Shirley a thraeth Bondi yn mynd a dod y tu ôl iddyn nhw a theimlaf hiraeth. Hiraeth am freichiau Mam, yn sychu'r dagrau ac yn mwytho'r poen i ffwrdd. 'Dwi ishe mynd adre!' gwaeddaf, cyn troi a rhedeg, rhedeg, i unrhyw le i ffwrdd o'r fan hyn.

★ ★ ★

'Gwawr?' Dwi'n synnu gweld Shirley yn pwyso drosta i, yn dod i eistedd nesa ata i ar y llethr o wair uwchben y traeth.

'Be ti moyn?' holaf yn ddiamynedd.

'Gweld a wyt ti'n ocê,' meddai, gan estyn hances boced dishw i fi. Mae fy llygaid yn llosgi nawr. Does dim dagre ar ôl i'w llefen ond dwi'n gwrthod gafael ynddo. Dwi'n gwrthod cymryd unrhyw beth – oddi wrthi hi! Tawelwch annifyr.

'Dwi'n sori, Gwawr,' meddai Shirley yn dawel ymhen munud. 'Dwi mor sori am y *mess* 'ma.' Hyffiaf. Yn flin? Yn flin? Yn flin am beth – am gymryd Dad oddi wrtha i a chreu bywyd mor hapus iddyn nhw fan hyn ar lan y môr. Dwi'n ysgwyd fy mhen yn grac. *As if!*

'Dwi'n deall sut ti'n teimlo,' mentra Shirley eto, gyda gwên – a theimlaf y dicter a'r siom a'r eiddigedd yn tasgu tu mewn i mi unwaith eto.

'Sut?!?!' hyffiaf yn ddig. 'Sut?' Sut yn y byd all hon – HON, sy ar fin disgwyl babi newydd i ddod i lenwi ei byd bach perffaith gyda rhagor fyth o hapusrwydd – wybod sut dwi'n teimlo? Sut yn y byd? 'Sut, Shirley?' holaf eto gan deimlo'r tymer yn corddi'n boeth.

Does dim ateb y tro 'ma. Dim ond distawrwydd. Ciciaf blaen fy nhroed yn erbyn y borfa. Sdim amynedd 'da fi! meddyliaf, gan wasgu fy nwylo yn erbyn y llawr tu ôl i fi a dechrau codi. Ond teimlaf law gynnes Shirley yn gafael yn fy mraich, yn fy nhynnu i eistedd eto.

'Plîs, Gwawr,' pledia. 'Rho funud i fi.'

Eisteddaf yn swrth ar y llawr eto. Un funud, meddyliaf. Jyst un funud fach. 'Na i gyd! Dwi'n croesi fy mreichiau a'm penlinie ac yn aros, aros am esboniad. Daw'r geiriau i siffrwd o'i gwefusau.

'Achos nath fy rhieni i ga'l *divorce* hefyd.'

Trof tuag ati. Gwelaf fod ei llygaid yn syllu'n hiraethus tuag at rywle'n bell tu hwnt i'r gorwel – y tu hwnt i'r môr glas. 'A dwi'n gwybod nag yw pethe byth yn syml.' Mae hi'n codi ei braich am fy ysgwyddau a theimlaf gynhesrwydd ei chorff yn erbyn fy nghroen. Eisteddaf yn dawel yn ei chesail a theimlo'r un ewin o atgofion a hiraeth a thristwch yn cau amdanom. ''Nes i dorri fy nghalon.' Clywaf y cryndod yn ei llais. 'Torri fy nghalon.'

'Felly pam gwneud hyn i ni – pam chwalu teulu arall?' holaf yn dawel.

Ochneidia Shirley. 'Mae rhywbeth ti ddim yn gwbo…'

meddai'n dyner, gan rwbio ei bysedd yn erbyn ei bol crwn. Dwi'n cnoi fy ngwefus. Mae 'na rywbeth yn ei llais – rhywbeth sy'n awgrymu nad ydw i ishe clywed yr hyn sy i ddod. Clywaf Shirley'n tynnu anadl fawr ddofn – ac yna'n siarad. 'Er gwaetha be ti'n meddwl, nid dy dad nath adael dy fam, Gwawr,' meddai o'r diwedd. 'Dy fam nath holi iddo fe fynd.' Dwi'n crychu fy aeliau – beth? 'Hi nath benderfynu fod y cyfan ar ben, Gwawr, nid fe. Hi oedd 'di cael digon. Nid fe oedd ar fai ti'n gwbod.' Teimlaf ei braich arall yn gwasgu eto am fy nghroen. 'Dyna pam ddath e 'nôl i Awstralia. A dim ond wedyn nath e gwrdd â fi.'

Mae fy mhen yn troi wrth i atgofion y noson honno gasglu eto, fel cymylau stormus, yn fy meddwl.

'Ond pam?' holais, gan feddwl am ddod adre o'r ysgol y diwrnod canlynol a dod o hyd i Mam, yn eistedd yn ddigalon ar lawr y gegin, yn beichio llefen. Wrth feddwl am Mam yn gweithio mor galed – yn rhy galed – i roi ei bywyd hi 'nôl yn un darn unwaith eto.

'Smo fi'n gwbod,' medd Shirley, gan godi ei hysgwyddau'n ansicr. 'Pwy a ŵyr. So'r pethe 'ma byth yn syml. Nath dy dad newid falle. Odd e'n gweld ishe fan hyn yn ofnadw… Sa i'n gwbod. O'n nhw'n caru ei gilydd, Gwawr. Ond weithie smo hynna'n ddigon… '

Caeaf fy llygaid, ond nid cyn sylwi ar gymylau llwyd, llond eu bolie, yn dod i gorddi ar yr awyr glir.

★ ★ ★

'O na. Wir? O diar. Be nesa? Aros i weld… Y-hy. Ocê. Diolch am roi gwybod.' Clywaf Dad yn clepian ei *mobile* ar gau.

'Pwy oedd yna, cariad?' hola Shirley'n fusneslyd wrth i Dad ddychwelyd i'w sedd ger y cownter brecwast yn y gegin.

'Helen,' ateba Dad – ei lais yn swnio'n bryderus am rywbeth.

'Be sy?'

'Mani. Ma Seb Wilson yn honni fod Mani wedi dwyn anrheg Nadolig o'u tŷ nhw yn ystod y barbiciw…'

Eisteddaf yn fy unfan yn dawel yn meddwl am y bachgen bach â gwallt tywyll pigog yr ochr arall i'r acwariwm.

'A beth oedd yn y parsel?'

'Camera fideo,' ychwanega Dad.

Ond does dim angen iddo fe ddweud dim byd. Dwi'n gwybod yr ateb yn barod.

★ ★ ★

Mae hi'n hwyr y nos, ac mae Dad a Shirley yn dal i glebran o gwmpas bwrdd y gegin am Mani a'r parsel a'r camera a'r ffaith nad ydyn nhw'n gallu credu'r peth – nad yw e fel Mani o gwbl i ddwyn oddi ar unrhyw un. Dwi ddim yn mentro dweud gair – ond mae'r olygfa ger yr acwariwm, yn stafell fyw grand Mr a Mrs Wilson, yn rholio fel ffilm ar sgrin yn fy mhen. Felly dwi wedi dianc fan hyn i'r atig, lle dwi'n byseddu drwy'r dyddiadur unwaith eto…

A nawr, yng ngolau gwan y lamp, mae rhywbeth yn dal fy sylw. Amlen. Amlen fechan frown a llawysgrifen ryfedd yn sgribls gwyllt ar y tu allan. Sbeciaf ar y geiriau traed brain. Mae ymyl uchaf yr amlen wedi cael ei rhwygo ar agor yn frysiog gan rywun a gwthiaf fy mysedd i mewn, gan afael yn y ddau ddarn papur tenau sydd ynddo. Fe'u gosodaf yn daclus ar y cwrlid o'm blaen. Mae'r cyntaf yn llythyr taclus yn yr un llawysgrifen ag sydd ar weddill y darnau o bapur sy yn y bocs sgidie cardfwrdd. Edrychaf arno – yn fwy cymesur a thaclus na'r arfer hyd yn oed ac mor wahanol i'r llanast plentynnaidd ar flaen yr amlen. Gwelaf ôl gofal ym mhlyg pob 'm' ac yn llinell grom pob 'y'; gwelaf ôl cariadus yn y papur glân, trwchus. Darllenaf.

19 Stryd yr Olygfa
Woollahra
Sydney
12 Rhagfyr 1978

Annwyl Mam

Dwi'n gwybod na fyddwch chi'n gallu darllen y llythyr hwn, felly dwi 'mond yn gobeithio ei fod e wedi eich cyrraedd chi'n ddiogel. Falle gall Wncwl Frank ei gyfieithu e i chi – neu Coreen a Kiah os ydyn nhw wedi dysgu siarad a darllen Saesneg eto. Mae arna i ofn nad ydw i'n gallu siarad dim o'ch iaith chi mwyach. Dwi wedi anghofio sŵn y geiriau.

Ond gobeithio eich bod chi'n dal yn fy nghofio i, Mam. Eich merch fach ddrygionus. Y'ch chi'n cofio? Y'ch chi'n fy nghofio i'n rhedeg gyda Coreen a Kiah ar draws yr anialwch coch tuag at ein coeden? Y'ch chi'n cofio? Y'ch chi'n cofio'r awyren wen yn glanio'n ddirybudd mas o nunlle, ac yn fy ngharïo i bant am byth? Y'ch chi'n cofio?

Peidiwch â phoeni. Dydw i ddim yn grac wrthoch chi, Mam. Doedd dim bai arnoch chi. Dwi'n gwybod hynny nawr – dwi'n deall. Dwi'n gwybod nawr fod llywodraeth Awstralia wedi dwyn miloedd ar filoedd o blant Aborigini fel fi oddi ar eu rhieni, a'n rhoi ni mewn cartrefi plant ac i fyw gyda theuluoedd ar hyd a lled Awstralia am ddegawdau a degawdau. Ro'n nhw'n meddwl eu bod nhw'n rhoi bywyd gwell i ni, Mam. Yn meddwl bod eu byd nhw gymaint yn well na'n bywydau ni.

Ond o leia ro'n i'n un o'r rhai lwcus. Cefais i fy nghludo i gartref plant Boongirani ac yna yma, i Sydney, lle cefais fy mabwysiadu gan deulu hyfryd a charedig iawn. Mae Mr Jones yn blismon yn ardal Woolahra a Mrs Jones yn athrawes yn yr Ysgol Feithrin leol. Mi wnaethon nhw newid fy enw i i Helen – felly dyna pwy ydw i nawr. Dyna pwy ydw i. Ac mae gen i frawd! Mae James – Jim fel ry'n ni'n ei alw e – yn naw mlwydd oed, yn dal ac yn olygus iawn – ac yn syrffiwr ardderchog… Falle nad y'ch chi hyd yn oed yn gwybod beth yw syrffio? Dwn i ddim.

Mi fydda i'n meddwl yn aml am fy nwy chwaer go iawn wrth wylio Jim yn chwerthin ac yn sblasio yn y tonnau. Be ddigwyddodd iddyn nhw tybed? Ble aethon nhw? A gawson nhw, fel fi, eu cipio gan ddynion gwyn a'u rhoi i fyw mewn cartrefi mawr yn llawn o blant a thristwch? Ydyn nhw wedi cael eu mabwysiadu gan deuluoedd cyfoethog, llwyddiannus? Neu ydyn nhw'n dal i dreulio eu dyddiau'n rhedeg yn rhydd o dan awyr lachar, las? Mi fydda i'n eu dychmygu nhw weithie, Mam, yn dal i ddringo'r goeden gyda'i gilydd. Yn dal i adrodd straeon am anifeiliaid a chreaduriaid y bydysawd. Y'ch chi'n cofio'r ffotograff yna, Mam? Yr un wnaeth Wncwl Frank ei dynnu o'r tair ohonom ni – pan gafodd e fenthyg camera rhyfedd oedd yn poeri lluniau gan un o'r twristiaid ddaeth i'n gweld ni un diwrnod? Y'ch chi'n ei gofio fe? Wel mae ei hanner e da fi o hyd – yr hanner roddoch chi i fi. Yn sownd yn fy nyddiadur. Felly ma nhw gyda fi nawr, Mam. Ma nhw gyda fi bob munud.

Peidiwch â phoeni amdana i, Mam – dwi wedi bod yn lwcus, fel dwedes i. Mae Mr a Mrs Jones wedi trio'n galed, galed i wneud i fi deimlo'n gartrefol yma. Mae gen i stafell wely fy hun, reit lan yn yr atig, a dwi wedi dysgu nofio, chware'r piano ac arlunio ers byw yma gyda nhw. A dwi'n bwriadu mynd i'r coleg flwyddyn nesa – i astudio Hanes. Fi fydd yr unig ferch Aborigini yn fy holl flwyddyn. Felly mae'n bryd symud mas. A symud mlaen.

A dyna pam roeddwn i'n meddwl ei bod hi'n bryd i fi ysgrifennu atoch chi. Dwi'n ddeunaw oed nawr. Yn oedolyn. Ac mae gen i hawl i ddod adre i'ch gweld chi. Os hoffech chi i fi wneud hynny. Dwi wedi gweithio'r cyfan mas – dyw tocyn ddim yn ddrud iawn a galla i safio'r hyn sy 'i angen yn hawdd mewn cwpwl o shiffts yn y caffe lle dwi'n gweithio. Jyst rhowch wybod. Ac mi fydda i yna. Mi fydda i yna 'nôl gyda chi eto'n rhedeg yn hapus o dan yr awyr las.

Cariad mawr,

Helen

Dwi'n clywed Dad yn cripian lan y grisiau i roi cusan nos da i fi a dwi'n brysio i blygu'r llythyr, ei wasgu i mewn i'r amlen, a'i roi'n ddestlus ar dop y pentwr o bapurau yn y dyddiadur. Edrychaf yn hir ar y nodyn traed brain yn fy nghôl. Gallaf glywed sŵn Dad yn nesáu tuag at y drws ar hyd y landin. Gafaelaf yn y nodyn a'i lithro'n ddistaw i boced fy jîns. Gwthiaf y bocs cardfwrdd yn ôl i'w gilfach dywyll dan y gwely. A diffodd y golau.

PENNOD 7

Y CANOL COCH

Does dim cwmwl yn yr awyr. Mae hi'n noson hollol glir o las tywyll, yn ymestyn yn loyw. Mae hi'n 12 o'r gloch y nos a dwi fod yn cysgu ond dwi ar goll yn y sêr. Dwi erioed wedi gweld cymaint ohonyn nhw, ar wasgar ar hyd y ffurfafen fel blawd wedi'i dywallt ar hyd llawr y gegin – heblaw fod y dafnau bach hyn yn disgleirio'n wyn, yn borffor, yn arian, fel *sherbert* amryliw. Dychmygaf estyn fy llaw i'w canol, gafael mewn llond dwrn ohonynt. Dychmygaf eu gwasgu yng nghledr fy llaw, cyn agor fy mysedd, a theimlo'r dafnau'n rhaeadru rhyngddynt fel tywod ar draeth. Gan adael dim ond dwst arian ysgafn o'u hôl.

'Chhhhh…' Sŵn Mani, yn rhuo chwyrnu wrth fy ymyl.

'Mani…' Dwi'n procio ymyl ei fag cysgu gyda fy llaw. 'Mani – shhhhh!'

Mae hi'n hanner nos a dwi ddim yn gallu cysgu o gwbl. Dwi'n rhy gyffrous yn meddwl am gysgu mas fan hyn, yn yr awyr agored, o dan y sêr. Yn rhy nerfus, yn meddwl am y llygod a'r pry cop a'r trychfilod sy'n cripian o gwmpas yn y cysgodion.

Ond dwi'n falch fy mod i yma.

Anti Helen wnaeth fy mherswadio i i ddod atyn nhw yn y pen draw: 'Mi fydd e'n antur, Gwawr…' addawodd, gan estyn am yr atlas trwchus o'r silff lyfrau yn y gegin, a'i osod ar y cownter brecwast. Agorodd hi'r llyfr ar dudalen ddwbl gyda map anferth o Awstralia ar ei ganol. 'Byddwn ni'n teithio o'r fan hon...' meddai, gan daro ei bys ar yr enw 'Sydney' yng nghornel dde'r ynys, 'i'r fan hon.' Dilynaf drywydd ei llaw reit i ganol y map i ardal rhwng tref o'r enw Alice Springs a rhywle o'r enw Uluṟu. 'Dyma'r ardal lle ces i fy magu,' esboniodd yn falch.

'Ond Anti...'

'Bydd yr holl beth yn antur. Yn antur! Yn gyfle i ti gwrdd â rhai o fy mherthnase i a Mani, yn gyfle i ti wersylla o dan y sêr mewn bag cysgu arbennig o'r enw *swag*, yn gyfle i ti weld ochr cwbl wahanol i'r wlad arbennig yma...' Caeodd y llyfr yn glep. 'A ta beth...' ychwanegodd, 'bydd e'n gyfle i ni i gyd ddianc o'r holl nonsens yna am Mani yn dwyn camera fideo'r Wilsons...' Ac yn gyfle i fi ddianc hefyd oddi wrth Dad a Shirley a'i bola mawr crwn, meddyliais, heb ddweud dim byd.

A nawr, wrth feddwl am holl sŵn a stremp Bondi, wrth feddwl am holl sŵn a stremp Shirley a Dad a fi yn crio ac yn gweiddi ar y traeth ddoe, wrth feddwl am hyn'na i gyd roedd yn well dianc gyda Anti Helen. Ac wrth edrych ar y sêr, dwi'n sylweddoli fy mod i'n teimlo ychydig bach yn well yn barod.

'Wyt ti'n gweld y pedair seren ar siâp croes – jyst draw fan'na?' Yn sydyn clywaf lais meddal Anti Helen yn torri drwy'r tywyllwch.

'Chi'n effro hefyd, Anti Helen?' Dwi'n troi i edrych arni ac yng ngolau'r lleuad gwelaf fod ei braich yn pwyntio at glwstwr o sêr ymhell, bell i ffwrdd. Sylwaf fod pedair o'r sêr yn disgleirio'n fwy llachar na'r gweddill – a bod eu pedwar smotyn sgleiniog yn ffurfio siâp croes uwchben.

'Dyna Groes y De,' esbonia Anti Helen. 'Mae gan bobl Aborigini ar hyd a lled Awstralia lwyth o chwedlau gwahanol am yr awyr, Gwawr. Am y sêr, yr haul, y lleuad…' clywaf ei llais yn sisial o'm cwmpas yn y tywyllwch.

'Fedrwch chi adrodd un o'r straeon, Anti Helen?' holais, gan feddwl am Dad yn adrodd straeon i mi pan oeddwn i'n ferch fach.

'Wrth gwrs,' a gallaf glywed fod cynhesrwydd yn ei geiriau wrth iddi ateb. 'O'r gorau… Amser maith, maith yn ôl, roedd dau frawd wedi cynnau tân ar ben mynydd ar ôl bod yn hela yn yr anialwch. Yn sydyn daeth gwynt cryf a chyn bo hir roedd y mynydd i gyd ar dân a rhedodd y brodyr i'w gopa i geisio dianc rhag y fflamau. Ond dilynodd y tân nhw yr holl ffordd i ben y mynydd.' Clustfeiniaf yn astud arni'n siarad – gan wrando ar bob gair. 'Ac wrth iddyn nhw ddechrau llosgi sylwodd y bodau pwysig yn y ffurfafen beth oedd yn digwydd, a theimlo trueni mawr dros y ddau frawd. Felly mi roion nhw allu arbennig iawn iddyn nhw – y gallu i hedfan. Cododd y ddau frawd i'r awyr, yn uwch na'r mynydd, yn uwch na fflamau'r tân a hedfan, hedfan i ffwrdd i mewn i'r nos dywyll. Ac ar ôl hedfan yn ddigon pell i mewn i'r düwch, gorffwysodd y ddau frawd, gan gynnau coelcerthi mawr yn y ffurfafen, coelcerthi sydd i'w gweld bob nos hyd heddiw…'

'A dyna pam bod sêr Croes y De yn llosgi mor llachar?' holaf, gan ddychmygu'r ddau frawd yn eistedd wrth y tân nawr, yn adrodd straeon i'w gilydd fel hyn.

'Falle, falle wir,' medd Anti Helen yn dyner. 'Ond mae'n dibynnu ar bwy wyt ti'n gwrando – mae fy mhobl i, pobl y rhan hon o Awstralia yn meddwl fod Croes y De yn cynrychioli teulu.' Mae hi'n codi ei llaw eto ac yn pwyntio at un o'r sêr yn y clwstwr pell. 'Y seren yna yw'r tad,' esbonia, 'a'r seren yna yw'r fam… a gweddill y sêr yw plant y rhieni. Wyt ti'n gweld?'

'Ydw,' atebaf, gan gau fy llygaid a gwthio fy mhen o dan rimyn y swag. Pe bai pethau ond mor syml â hynna.

★ ★ ★

Mae hi'n fore nawr, ac mae'r tri ohonom yn hercian ar hyd y ffordd dyllog drwy'r anialwch yn ein *jeep* gwyrddlas. Fi sy yn y ffrynt a thrwy'r ffenest gwelaf fod y byd yn ymestyn yn wastad o'm blaen a'r gorwel yn siffrwd fel jeli yn y gwres tanbaid. Mae hi'n boethach yma nag yn Sydney hyd yn oed – mae'r haul mor danbaid fel bod y pridd wedi llosgi'n goch a chras.

'Dyna'r afon. Wel, dyna lle bydd hi, weithiau!' pwyntia Anti Helen, wrth i ni groesi pont dros wely afon sych yn cracio'i ffordd tua'r pellter.

Mae'r ffordd yn ddiddiwedd o hir, ac mae'n teimlo fel petaen ni wedi bod yn teithio am hydoedd ond eto heb symud i nunlle, achos dyw'r olygfa tu fas i'r ffenest ddim yn newid o gwbl.

'Dwi'n gweld gyda fy llygaid bach i…' medd Mani, gan sbecian yn *bored* trwy ffenest y cefn, 'rhywbeth yn dechrau gyda "D".'

'Dwst!' cynigia Anti Helen.

'Deinosor?' medde fi, gan obeithio fod Mani wedi sylwi ar rywbeth – unrhyw beth cyffrous – tu fas i'r ffenest.

'Na. Yr ateb yw D-im byd!' medd Mani mewn llais llawn syrffed. 'Dim byd o gwbl. Maaaam… Faint o ffordd sy 'na…'

'Lot,' yw ateb swta Anti Helen.

Dwi'n edrych ar fy wats. Ry'n ni wedi bod yn teithio am bedair awr yn barod. Pedair awr... Ma Awstralia'n wlad anferthol, anferthol o fawr meddyliaf, wrth gofio mor agos ar y map at Alice Springs oedd y man lle cafodd Anti Helen ei magu. A nawr dyma ni, wedi teithio am bedair awr a mwy, heb basio drwy unrhyw bentre na thre. Heb weld neb na dim ond diffeithwch.

★ ★ ★

'Twt-twt!' Mae Anti Helen yn canu corn y car, ac yn troi i mewn i faes parcio sy yn ymyl adeilad bychan, sgwâr wedi'i adeiladu allan o flociau concrit llwyd. Mae sgribls o graffiti ar draws y muriau llwm. Drws nesa i ni, mae car gwyn wedi'i falu'n llwyr, yn rhydu yn yr haul.

Mae Anti Helen yn agor y drws ac yn neidio allan, gan frasgamu tuag at yr hen ddyn croenddu mewn crys-T melyn a het cowboi, sy'n sefyll wrth ymyl drws yr adeilad concrit. Mae hi'n gafael yn ei law ac yn ei dynnu tuag ati, gan ei wasgu'n gynnes yn ei herbyn, cyn galw arnom. Mae Mani a fi'n neidio'n ufudd allan o'r *jeep* – a theimlaf y gwres yn fy nharo, fel ton ar draeth Bondi. Cerddwn tuag at Anti Helen a'r dyn dieithr, hapus.

'Dyma dy Wncwl Frank, Mani,' medd Anti Helen, gan rwbio braich yr hen ŵr yn gyfeillgar â'i llaw.

Wrth i ni sgwrsio, dwi'n clywed car arall yn sgrechian aros yn y dwst. Mae ffenestri'r car wedi cael eu chwalu i gyd ac mae cerddoriaeth roc yn diasbedain drwy'r tyllau mawr lle bu gwydr. Mae'r car yn orlawn o bobl a phlant wedi pentyrru ar ben ei gilydd fel sardîns. Mae'r dyn yn y sedd flaen yn yfed cwrw allan o fag papur brown ac yn rhegi gweiddi hwyl fawr ar y bachgen troednoeth sy'n neidio mas drwy un o'r ffenestri cefn. Gwelaf Wncwl Frank yn ysgwyd ei ben yn ddigalon ar Anti Helen wrth i'r car sgrialu i ffwrdd ar hyd y ffordd.

'Ma pethe'n llanast yma, Helen,' meddai, gan ein tywys ni i mewn i gysgod yr adeilad concrit hyll. Mae hi'n dywyll yno, gyda dim ond ambell fylb golau yn hongian o'r to, ond gallaf weld digon i sylwi ar y silffoedd metel oer, yn codi'n dyrrau o'r lloriau caled, noeth. Siop fwyd, meddyliaf, wrth edrych ar y poteli Coke a'r pentyrrau o fwyd sych diflas ar y silffoedd. Siop fwyd, meddyliaf, wrth sylwi ar y pryfed yn hedfan o gwmpas golau'r bylbiau, ac yn setlo ar y cig amrwd yn y gornel. Siop fwyd yw hon, meddyliaf, gan feddwl mor wahanol yw hyn i'r twmpathau o afal pîn, eirin gwlanog ac afalau coch ar silffoedd y siopau bwyd yn Bondi.

Mae Wncwl Frank yn agor y rhewgell yng nghornel yr ystafell ac yn pasio lemonêd oer i fi, Mani ac Anti Helen, cyn ein harwain ni 'nôl mas i'r maes parcio. Mae e'n tynnu drws y siop ac yn ei glou'n ddiogel o'i ôl.

Dilynwn Wncwl Frank yn llwybr y bachgen bach troednoeth i lawr y grisiau carreg a thuag at glwstwr o dai bach concrit gyda muriau oren a melyn. Mae cŵn brown tenau yn crwydro'n ddiog rhwng y pryfed yn y gwres.

Mae Anti Helen yn cnoc-cnocio ar ddrws un o'r tai, ac mae hen wraig, â chroen du a chwa o wallt gwyn, yn dod i'w agor. Does dim ffws. Dim croeso mawr. Dim cofleidio. Dim ond 'helô' swta, wrth iddi ddod i eistedd ar y gadair siglo bren o flaen y tŷ.

'A sut y'ch chi?' hola Anti Helen hi, gan eistedd ar y llawr, yn y dwst, ger y gadair.

'Pwy wyt ti? Beth wyt ti moyn?' hola'r hen ddynes, gan droi ei llygaid i rythu'n greulon ar Anti Helen.

'Helen. Dim ond dod i ddweud Nadolig Llawen, dyna i gyd.'

'Ti'n gwybod nad yw pethau fel 'na'n bwysig i ni,' yw'r ateb sur.

A heb ddim gair, dechreua'r hen ddynes siglo 'nôl a mlaen, 'nôl a mlaen yn ei chadair, i rythm ei hymian ei hun.

'Cym on!' medd Wncwl Frank yn glên, 'dewch i ni gal eu gatel nhw iddi.' Mae e'n wincio ar Anti Helen ac yn troi a cherdded yn hamddenol oddi yno. Dwi a Mani yn cicio'n sodlau ar ei ôl yn ufudd, yn falch o fedru dianc ymhell o olwg yr hen wraig. Mae Wncwl Frank yn gwau ei ffordd rhwng y tai amryliw at goeden dal, farw a'i brigau'n ymestyn fel fflamau tuag at yr awyr las. Mae e'n pwyso yn erbyn un o'r canghennau ac yn estyn am rywbeth o'r bag plastig yn ei law.

'Chi'n gwbod be yw hwn?' hola, wrth i Mani a fi ymuno wrth ei ymyl ger boncyff y goeden. Mae e'n pasio darn o bren fflat, siâp u-bedol i Mani.

'Wow!' chwibana Mani, wrth fyseddu'r darn o bren yn ofalus yn ei ddwylo. '*Boomerang*,' meddai, ei lygaid yn pefrio wrth iddo droi y llyfnder o gwmpas yn ei law.

'Wow.'

'Wt ti'n gwbod be sy mor sbeshal am un o'r rhein?'

'Tegan yw e. Mae e'n dod 'nôl yn syth pan wyt ti'n ei daflu fe ...' atebaf yn syth, cyn i Mani gael cyfle i agor ei geg.

'Hmm...' gwena Wncwl Frank arnaf. 'Ddim cweit. Dim tegan yw e i ni, ta beth.'

'Offeryn hela yw e,' medd Mani, gan drio pasio'r teclyn 'nôl i Wncwl Frank. 'Offeryn hela cangarŵs ac anifeiliaid gwyllt...'

'Gwd-boi, Mani,' medd Wncwl Frank, gan chwifio'i law yn yr awyr. 'Na na. Smo fi ishe'r *boomerang* 'nôl. Presant yw e. Presant Nadolig i ti.'

'Wow.' Ymleda gwên lydan, fel *boomerang*, ar draws wyneb Mani. 'Diolch,' meddai, gan fwytho'r teclyn yn ei ddwylo. 'Diolch.'

'Croeso.' Plyga Wncwl Frank ar ei luniau ac eistedd wrth fonyn y goeden. 'Chi ishe clywed stori?' Mae e'n estyn am frigyn pigog o'r llawr wrth ei ymyl, ac yn amneidio arnon ni i eistedd wrth ei ymyl. Mae Mani yn dringo ar gangen isaf y goeden a dwi'n croesi fy nghoesau ac yn eistedd nesaf at Wncwl Frank ar y llawr.

'Reit 'te.' Mae e'n rhoi'r brigyn yn ei law dde, a'i ddefnyddio i dynnu siâp llinell gyrliog yn y pridd. 'Ry'n ni'n credu bo'r byd i gyd wedi cael ei neud yn ystod cyfnod arbennig, yn ystod amser sbeshal o'r enw'r Breuddwydio – gan greaduriaid rhyfeddol,' meddai, ei lygaid yn disgleirio yn yr haul. 'Fel yr Enfys-Neidr...' Gwyliaf ei law'n llunio llinell droellog, fel neidr, o'i flaen. 'Fe oedd y mwya o holl anifeiliaid y bydysawd – yn troi'i ffor' ar hyd y ddaear, yn gneud afonydd a llethre a brynie ble bynnag odd e'n mynd ar 'i daith... Yn ystod cyfnod y Breuddwydio, ry'n ni'n credu, chi'n gweld, fod creaduriaid fel hyn wedi defnyddio eu pwere arbennig er mwyn creu pob dyn ac anifail; pob afon a phob bryn; yr haul a'r lleuad... I ni, dyma sut daeth y byd i gyd yn fyw fel ma fe heddi.'

'Felly beth odd Breuddwyd y Cangarŵ, Wncwl Frank? Sut daeth y cangarŵ i fodoli fel mae e heddiw...' Mae coesau Mani'n chwifio o'r gangen.

'Aha...' mae Wncwl Frank yn dechrau tynnu llun anifail tew, gyda chlustiau crwn, traed llydan a chynffon hir ar y llawr. 'Nace stori o'r rhan hon o Awstralia yw honna, Mani – ond mae hi'n stori dda, odi, ti'n iawn. Chi'n barod?' Ry'n ni'n nodio'n gyffrous. 'Ocê 'te… Yn bell, bell i ffwrdd, yn ystod y Breuddwydio, doedd dim poced gan y Cangarŵ ar fla'n 'i fola i gadw ei Joey – ei fabi bach – yn saff, a bydde fe'n gorffod gadel ei Joey bach o dan goeden fel yr un 'ma fan hyn, neu'i guddio mewn gwair hir, tra'i fod e'n hop-hopian o gwmpas y wlad yn whilio am fwyd a diod.'

Mae Wncwl Frank yn gwneud rhes o ddotiau yn y tywod – yn dangos trywydd y Cangarŵ ar ei daith. 'Un dwrnod, ar 'i ffor' i'r pwll dŵr, nath y Cangarŵ gwrdd â WumWirambi – wombat dall – yn hercian 'i ffor' drwy'r anialwch. Sylwodd y Cangarŵ fod WumWirambi yn cerdded i'r cyfeiriad anghywir. O diar, meddyliodd y Cangarŵ, gan gynnig arwain WumWirambi i'r pwll dŵr fel ffrind da. Arweiniodd y Cangarŵ WumWirambi at y pwll, a nath y ddau ishte 'na'n yfed y dŵr ffres hyfryd am gyfnod. Yna, gofynnodd y Wombat i'r Cangarŵ a fydde fe'n fodlon 'i arwain i ffindo bwyd. Cytunodd y Cangarŵ i helpu WumWirambi, ond cyn arwain y Wombat at 'i hoff batshyn o wair blasus hop-hopiodd yn ôl at 'i Joey, i neud yn siŵr 'i fod e'n iawn yn ei guddfan.'

Dot, dot, dot drwy'r tywod unwaith eto… 'Ar ôl iddi weld fod 'i Joey bach yn iawn, hop-hopiodd y Cangarŵ 'nôl at y Wombat a'i arwain at 'i fwyd. Ond tra'u bod nhw yno'n bwyta'n hapus daeth heliwr creulon heibio. Roedd e'n llwgu. "Iym iym…" medde fynte, gan lyfu'i wefusau'n farus, "Wombat blasus i swper…" Ond roedd y Cangarŵ wedi gweld yr heliwr yn nesáu, a dechreuodd hi neidio ar draws 'i lwybr yn ddig, gan dynnu'i sylw oddi ar y Wombat diniwed. O'r diwedd diflannodd yr heliwr ac ath y Cangarŵ 'nôl at 'i Joey i neud yn siŵr 'i fod e'n iawn. Yna, dychwelodd at

WumWirambi unwaith eto. Ond…' Mae llais Wncwl Frank yn gostwng yn sydyn, ac mae e'n oedi ac yn syllu i fyw fy llygaid cyn sibrwd, 'ond rodd y Wombat wedi diflannu.'

'Aaaaa!' medde fi a Mani fel côr.

'Ond jiw! Pidwch poeni. Achos yna dechreuodd Ysbryd Mawr y Breuddwydio siarad. Dechreuodd yr Ysbryd siarad a gweud mai fe oedd wedi jocan bod yn hen Wombat sychedig a llwglyd – y Wombat hwnnw oedd angen help mawr – er mwyn ceisio dod o hyd i'r anifail mwya caredig o blith holl anifeilied y byd. "A dyma fi wedi dod o hyd iddo fe!" medde'r Ysbryd yn hapus. "Y Cangarŵ yw anifail caredicaf y bydysawd…" Ac am hynny cynigodd yr Ysbryd bresant i'r Cangarŵ. Meddyliodd y Cangarŵ yn hir, hir iawn am beth yr hoffai'n rhodd. "Dwi'n gwybod!" meddai, a gofyn am boced – fel bod modd iddo gario'i Joey bach gydag e'n ddiogel bob amser…'

'Frank. Wyt ti'n adrodd dy hen chwedlau 'to?' Llais Anti Helen, sydd wedi cripian i fyny heb i ni sylwi a gwyro drosom fel canghennau'r goeden grin. 'Amser gadael, blant,' meddai, gan droi ar ei sawdl a chychwyn 'nôl tuag at y pentre a'r cabanau a thuag at y car… Ry'n ni'n pasio'r hen wraig ryfedd, sy'n dal i siglo 'nôl a mlaen, 'nôl a mlaen yn ei chadair. Edrychaf ar ei chwlwm o wallt gwyn ac ar ei llygaid almwnd yn cau'n gul, gul o dan ei hamrannau trwchus.

'Anti Helen – dwi ishe mynd i'r tŷ bach…' meddyliaf yn sydyn, wrth gofio eto am y siwrne faith 'nôl dros yr anialwch i'r gwersyll.

'Ocê, cariad… mae un yn y caban,' meddai gan gyfeirio at y caban bach concrit, tu ôl i'r hen wraig. 'Mi weli di'r drws yn syth – mae e yn y gornel bella…'

Gwthiaf ddrws y caban yn agored a mentro i mewn. Mae'r

dwst yn dawnsio yn y stribyn tenau o olau sydd wedi ymwthio ei ffordd trwy'r ffenestri cul. Bocs sgwâr syml yw lolfa'r caban – does dim addurniadau ar y muriau, dim ond paent llwyd yn pilio'n drist yn y tywyllwch. Brasgamaf dros y sbwriel ar y llawr i gyfeiriad y drws yn y gornel... Awww... baglaf dros botel gwrw wag. Estynnaf amdani a'i gosod yn ddiogel allan o'r ffordd ar y bwrdd pren, a hwnnw'n pwyso'n simsan yn erbyn un o'r muriau noeth. Yna, sylwaf ar rywbeth. Yno, ar y bwrdd, o dan bentwr o bapurau newydd a blychau sigaréts gwag dwi'n gweld rhywbeth. Rhywbeth cyfarwydd – ymyl ffotograff. Cydiaf ynddo. Mae ei ymylon wedi cyrlio, wedi crino gydag amser, a sylwaf fod rhwyg hir, hyll ar hyd un o'r ymylon. Ac ynddo, yn gwenu'n hapus yn yr haul, ei gwallt yn donnau du a'i chroen yn frown fel mwd, wyneb merch fach unig. Anti Helen. Gafaelaf ynddo, a brysio tuag at y tŷ bach.

★ ★ ★

Dwi'n gorwedd nesa at Mani yn fy *swag*, tra bod Anti Helen yn syllu'n dawel i mewn i fflamau olaf y goelcerth.

'Pam nest ti ddwyn y camera fideo, Mani?' sibrydaf. 'Pam?'

Dim ateb. Dim ond tawelwch llethol, anghyfforddus.

Ymhen rhai munudau, mae e'n siarad – yn isel a siomedig. 'Diolch, Gwawr.'

'Beth?' holaf, heb ddeall pam bod cryndod yn ei lais.

'Rwyt ti jyst fel pawb arall. Yn credu'n syth fy mod i'n lleidr.'

'Dwi'n gwybod mai ti nath, Mani. Weles i ti. Weles i ti trwy'r acwariwm yn nhŷ Mr a Mrs Wilson. Ac yna, yn sydyn, roedd camera gyda ti. Lan yn y caban coeden. Mae'n amlwg, Mani. Mae pawb yn gwybod mai ti nath.'

'Nid fi oedd e, Gwawr.' Mae ei lygaid gwyn yn pefrio arnaf yn y tywyllwch. 'Onest. Ges i fenthyg y camera oedd gyda fi yn y caban coeden i neud fideo i Mam, Gwawr. Gneud fideo o fan hyn. Fel anrheg Nadolig. Fe ges i fenthyg y camera o'r ysgol. Ma Mam yn gwbod y cyfan nawr ac yn gweud neith hi sorto y Mr Wilson 'na mas y tro nesa neith hi 'i weld e.' Yna mae e'n troi ei gefn arna i a chlywaf ei lais fel ias drwy'r gwyll. 'Ond diolch i ti,' sibryda'n chwerw. 'Diolch i ti o bawb am beidio credu yno i.'

★ ★ ★

Mae Anti Helen a Mani yn chwyrnu erbyn hyn, felly codaf ar fy eistedd yn y tywyllwch ac estyn draw at fy jîns, sydd wedi'u plygu'n bentwr taclus wrth y *swag*. Wedi eu codi, rhoi fy llaw yn y boced, gafaelaf yn y darn o bapur blêr sydd wedi bod yn llechu yno'n ddistaw ers i ni adael Sydney ddoe. Dwi'n codi'r fflach lamp bach o'r llawr ger Mani, ac yn ei gynnau o dan y *swag*.

Gallaf weld fod olion bysedd, a staeniau dagrau, coffi a phridd coch ar hyd y papur. Ceisiaf ddarllen y geiriau traed brain ond mae'r llythyr yn llawn o gywiriadau a chamgymeriadau… Does yma ddim dyddiad. Dim cyfeiriad. Dim enw hyd yn oed:

Diolch yn fawr am dy ~~tythr~~ lythyr.

Neis clywed dy fod ti'n gwneud yn iawn ar ôl cymet o amser. Ro'n i'n gwybod y byddet ti – ro't ti wastod yn ferch gryf gyda barn am bob peth. Ro'n i'n middwl na fyset ti'n angofio amdano ni. Ac felly rydw i wedi bod yn weitshed i glwed wrthot ti yr holl ~~flynn~~ flynyddoedd hyn.

~~Petae~~ Taset ti ond wedi sgrifennu chydig bach cyn nawr. Dyna i gyd. Bydde pethe wedi bod yn wanol. Achos ma gen i newyddion drwg i ti. Dy whiorydd ma nhw 'di mynd. Wedi marw.

Ath y fechan amser hir yn ôl. Roedd e'n drist iawn. Ond y llall... Taset ti ond wedi sgrifennu'n ~~gyflymach~~ gynt. Ond dyna ni. Dyna ni. Ma'n rhy hwyr nawr. Rhy hwyr. Achos mae hi wedi mynd hefyd.

Mae croeso i ti ddod yma cofia. ~~Wastod~~ Bob amser. Mi gei di groeso mawr tho i. Ond dy fam. Smo hi ddim run peth. Ddim run peth. Mae hi'n meddwl ei bod hi wedi'ch colli chi gyd.

Wncwl Frank

PENNOD 8

FFARWELIO

Mae hi bron yn bryd mynd 'nôl i Sydney. Mae dwy awr i fynd cyn bod yr awyren yn gadael ond mae un peth ar ôl i'w wneud eto.

Mae dau arwydd pren syml yn sefyll yn unig uwchben pentwr o bridd. Bedd. Gwyliaf Anti Helen yn gwyro drostyn nhw ac yn gosod tusw o flodau ar y twmpath. Clywaf hi'n ochneidio, yn ochneidio'n ddwfn.

'Felly ry'n ni *sort of* yn perthyn?' holaf i Mani, wrth i Anti Helen godi ar ei thraed, a dwstio'r pridd oddi ar flaen ei sgert laes.

'Ydyn – cafodd Mam ei mabwysiadu gan deulu Wncwl Jim, dy dad, pan oedd hi'n naw oed.'

'A dyna pam doeddet ti ddim ishe i fi ddangos y darn yna o ffotograff i Anti Helen?' Cofiaf am Mani'n colli ei dymer 'nôl yn y goeden y noson gynta honno, wedi i fi ddod o hyd i'r bocs sgidie o dan y gwely yn yr atig.

'Ie,' meddai. 'Ro'n i'n gwybod y byddai hi'n mynd yn ypsét – y byddai hi'n torri ei chalon wrth gofio na chafodd hi fyth gyfle i weld ei dwy chwaer wedyn. Achos roedd hi'n rhy hwyr. Dyna pam nad yw eu hwynebau nhw yn y llun ti'n gweld, Gwawr. Unwaith mae rhywun wedi marw dyw pobl yr Aborigini ddim yn cael yngan eu henwau nhw, nac edrych ar eu hwynebau nhw mewn llun fyth eto. Ma nhw wedi mynd. Wedi dod i ben.'

Dwi'n estyn yn ddwfn i waelod fy mhoced, ac yn teimlo'r hanner ffotograff o dŷ'r hen wraig yn oer yn erbyn fy mysedd.

'Anti Helen – ma 'da fi rwbeth i'w ddangos i chi,' medde fi, gan gerdded draw at y bedd.

'Ble gest ti hwn?' meddai o'r diwedd.

'Ffeindies i fe ddoe, Anti Helen… o dan bentwr o bapurach yn nhŷ yr hen fenyw flin ych-a-fi 'na…'

'Mam…' medd Anti Helen yn dawel. 'Mam.' Gwelaf ddeigryn yn rholio ar hyd ei hwyneb. Yn tasgu ar y ffotograff. 'Roedd hi wedi cadw'r llun wedi'r cyfan. Wedi fy nghadw i gyda hi. Wedi fy nghadw i'n fyw. A heb anghofio.'

PENNOD 9

ANRHEG
NADOLIG

'Ie… ac wedyn ethon ni i Alice Springs, lle nethon ni gysgu mewn *swags* o dan y sêr ac yna mi nethon ni ddeffro a gyrru am oriau ac oriau mas i'r anialwch i'r pentre bach 'ma lle cafodd Anti Helen ei magu a dyna lle gwrddon ni a Wncwl Frank nath adrodd pob math o storis i ni ac yna… wel, yna roedd y fenyw ryfedd 'ma… ac… '

'Wel – mae'n swnio fel taset ti'n cael amser ffantastig!' Mae Mam yn giglan arna i dros y Skype. Mae hi'n eistedd wrth y cyfrifiadur yn y lolfa, yn gafael mewn gwydraid hanner gwag o siampên. Mae coron bapur cracyr yn cydbwyso'n simsan ar ei phen. Sylwaf fod ei gwallt wedi'i gyrlio'n donnau pert a bod ei minlliw hi'n gochach, yn fwy llachar, na'r arfer.

'Ydw. Ydw. Mae e wedi bod yn… yn… well nag o'n i'n ddisgwyl.'

'Wel dwi'n falch!' medd Mam, gan grychu ei thrwyn smwt yn hapus a llyncu sip arall o'i diod. Gwelaf fod olion parti y tu ôl iddi – yn bowlenni o greision a phlatiau o sosej-rôls. Daw llais Mam i dorri ar draws fy musnesu. 'Dwi'n gweld dy fod ti wedi agor dy anrheg Nadolig… ' Mae hi'n wincio arnaf ac yn pwyntio at ei gwddf.

Cyffyrddaf yn y loced − a gwrido. 'Do − sori… Do… '
atebaf yn betrus.

'Jiw − paid â phoeni, bach. Dwi'n falch ei fod e'n
plesio!'

'Diolch, Mam.' Gwasgaf ynddo'n dyner.

'Nadolig Llawen i ti, cariad,' meddai'n gynnes. 'A
Nadolig Llawen i weddill y teulu… Sut mae dy dad?' hola.
'A Shirley… yw'r babi wedi cyrraedd eto?' Mae fy ngwên
yn disgyn.

'Ddim eto,' atebaf.

'Wel dwed Nadolig Llawen wrth y… ' cychwynna − ond
torraf ar ei thraws.

'Pam na wedest ti?' holaf yn sydyn. 'Pam na wedest ti
bod Shirley yn dishgwl babi?'

'Achos… ' Sytha ei het Santa a syllu i fyw fy llygaid − er
bod miloedd o filltiroedd a gwifrau a pheiriannau rhyngom.
'Achos 'mod i ishe iddo fe fod yn sypréis.'

'Wel diolch, Mam,' medde fi yn fy llais mwya sarcastig.
'Diolch yn fawr iawn.'

'Cym on, Gwawr fach… mae hi'n bryd i ni i gyd symud
mlaen, smot ti'n meddwl?'

'Falle,' yw fy ateb swta.

'Ydy. Ydy. Mae hi'n bryd i ni i gyd symud mlaen… '
Ac yn sydyn mae Mam yn codi ar ei thraed. Gwelaf hi'n
simsanu ar ei sodlau ac yna'n gwyro mlaen at y sgrin eto.
'Reit − amser mynd nawr dwi'n meddwl. Nos da, cariad.'

'Nos da, Mam.'

'Nadolig Llawen i chi i gyd!' Chwifia ei siampên yn yr
awyr yn llawen. Yna mae hi'n diffodd y sgrin a distewi'r
sain… Ond nid cyn i fi glywed llais yn galw enw Mam o

rywle y tu draw i olwg y camera. Llais dyn.

Daw ei geiriau i adleisio o gwmpas y gegin yn Woolahra: 'Mae'n bryd i ni symud mlaen.'

★ ★ ★

Mae'r goeden Nadolig yn sefyll ochr yn ochr â'r *skyscrapers*, ei goleuadau mân a'i thinsel yn cael eu hadlewyrchu yn ffenestri swyddfeydd busnes Sydney. Mae mor od ei gweld hi fan hyn, a hithau'n ddiwrnod hir o haf – mae mor od gorfod rhoi eli haul ar fy nghroen, sbectol haul ar fy nhrwyn, wrth fynd i weld Santa ar Noswyl Nadolig!

'Cym on!' Clywaf lais Breaks yn galw ar y gweddill ohonom i frysio ar ei ôl rhwng yr adeiladau tal, urddasol, a rhwng y dynion mewn siwtiau drud a'r merched yn tapian ar eu *laptops* tuag at yr harbwr. Cerddwn gyda'n gilydd rhwng y muriau arian, gwydr – sy'n agor o'r diwedd ar heol brysur ac awyr glir. Tu draw i'r ffordd mae heidiau o dwristiaid gyda chamerâu yn eu dwylo a gallaf glywed sŵn cyrn cychod yn atseinio…

'Dyma Circular Quay – canolbwynt Sydney…' esbonia Peter yn falch, wrth weld y wefr yn fy llygaid.

Circular Quay: mae'r lle'n fwrlwm o bobl yn mynd a dod ar longau melyn. I'r dde mae'r Tŷ Opera enwog, gyda'i do pigog gwyn yn moesymgrymu yn yr haul ac i'r chwith, Pont yr Harbwr, yn taflu'i chysgod dros y dyrfa islaw.

Eisteddwn ar y borfa o flaen un o'r adeiladau bric hen-ffasiwn wrth y lan, a gwylio'r gwylanod yn reslo gyda'r dorf am ddarn o frechdan neu sglodyn tatws. Mae dyn yn chwarae offeryn rhyfedd ac yn casglu arian oddi wrth y twristiaid sydd wedi ymgasglu i wrando.

'Beth yw hwnna?'

'Didjeridŵ…' yw ateb Mani. 'Mae'n gwneud synau cŵl, on'd yw e?'

'Reit 'te…' Mae Breaks yn edrych yn siriys iawn, ac yn galw arnom i glosio ato, fel pe bai ganddo rywbeth pwysig iawn i'w rannu â ni. 'Mae'n bryd i ni gadarnhau'r cynllun ar gyfer Noswyl Galan… Ar gyfer dial ar Seb a'i ffrindie gyda'r camera fideo yn ystod Gala Fawreddog y Nippers.'

'Dwi wedi bod yn meddwl am y peth…' medd Peter. 'Yn meddwl yn ddwys… Fydd Gwawr ddim yn cymryd rhan yn y prif rasys – ydw i'n iawn?' Mae pawb yn nodio – dim ond aelodau llawn y clwb sy'n mynd i fod yn cymryd rhan yn y Gala. A dydw i ddim wedi cael cyfle i ymarfer yn iawn beth bynnag. 'Wel dyma'r cynllun. Fel ry'ch chi i gyd yn gwybod bydd yna sawl rownd o gystadlu yn digwydd yn ystod y bore er mwyn penderfynu pwy fydd yn y ffeinal fawr amser cinio – ac mae Seb a'i griw yn siŵr o sleifio i mewn i'r Clwb Syrffio, rywbryd yn ystod y rowndie hyn, i drafod eu cynllunie ar gyfer stopio Mani rhag ennill y Gala. Wel…' mae e'n tynnu anadl ddofn. 'Wel… mae hynna'n rhoi cyfle ardderchog i Gwawr lithro i mewn i gornel y Clwb – er mwyn ffilmio'r cyfan ar gamera fideo Mani!'

'Ond…' ebychaf, fy stumog yn troi wrth ddychmygu cael fy nal.

'Ond dim byd. Bydd popeth yn iawn. Dwi wedi meddwl am yr holl fanylion.' Mae e'n siarad yn ddistaw, ddistaw bach nawr, fel ysbïwr enwog ar fin gosod trap yn un o ffilmiau Hollywood. 'Draw yng nghornel bella'r Clwb, mae yna gornel dywyll, lle mae'r bechgyn hŷn yn cadw'u *surfboards*. Mi fydd hi'n ddigon hawdd i ti wasgu dy hun i mewn rhwng y byrddau a chuddio yn dy gwrcwd y tu ôl iddyn nhw'n dawel bach. Heb i neb dy weld di. Y cyfan fydd angen i ti ei wneud wedyn fydd pwyntio'r camera i'r cyfeiriad cywir… A dyna ni. Y dihirod wedi'u dal am byth.'

'Grêt,' medd y gweddill cyn taflu *high-fives* i'r awyr.

'O diar,' meddyliaf, yn dychmygu'r *surfboards* yn syrthio'n glep i'r llawr a Seb a'i ffrindie cas yn dod o hyd i fi yn y cysgodion.

★ ★ ★

'Nadolig Llawen!' Mae Dad yn codi ei wydraid o siampên yn uchel i'r awyr ac yn cynnig llwnc-destun: 'I'r teulu.'

Mae Anti Helen, Shirley, Mani a fi'n codi ein gwydrau gyda'n gilydd uwchben y platied anferth o gigoedd a llysiau a chracyrs ar y bwrdd patio yn yr ardd.

'Nadolig Llawen, Gwawr…' Mae Mani'n pasio parsel i fi dros y bwrdd bwyd. Parsel siâp rhyfedd, wedi'i lapio'n frysiog gyda selotêp dros bob man. 'Fi lapiodd e. Anrheg oddi wrtha i yw e,' meddai'n falch. Gafaelaf ynddo a'i wasgu rhwng fy mysedd. 'Boomerang!' chwarddaf wrth deimlo'r siâp caled drwy'r papur tenau.

'Achos bo fi'n gobeithio y dei di 'nôl i 'ngweld i rywbryd…'

'Diolch, Mani. A Nadolig Llawen i ti hefyd.' Trosglwyddaf barsel meddal, mewn papur lapio sgleiniog draw iddo. Crys rygbi Cymru!

'Ha! Cofia, wi'n dal ddim yn meddwl bod rygbi cystal ag *Aussie Rules*!' meddai'n chwareus, gan afael yn y crys a'i dynnu dros ei ben yn gyffrous. 'Ond diolch.'

'A Nadolig Llawen wrtha i hefyd, bach…' Dwi'n synnu gweld Shirley yn estyn parsel bychan, tenau i fi. 'Fi'n gwbod bod Santa wedi dod â *loads* o anrhegion i ti'r bore 'ma ond ro'n i moyn rhoi rhywbeth bach personol i ti hefyd.' Dwi'n dadlapio'r anrheg. Albwm lluniau lledr gyda'r gair 'Ffrindiau' mewn llythrennau twt, pinc ar y tu blaen. Agoraf ef. Ynddo mae holl lefydd a wynebau newydd yr wythnosau diwetha – Circular Quay, traeth Bondi, cartref y Wilsons... Mani, Helen, fi, Shirley – a Dad. Dad yn gwenu'n ddwl ar y camera unwaith eto.

'Falle bod rhywbeth ynddo fe ar gyfer y loced... lan i ti – ond ro'n i jyst yn meddwl? Allet ti fynd â darn bach o Awstralia adre gyda ti wedyn... ' Coda Shirley o'i sedd, gan helpu Dad i rannu'r byrgyrs a'r sosejis a'r coesau cyw iâr o blât i blât, o berson i berson – mae hi'n taflu gwên o finlliw llachar ar Dad. Yn sydyn, gwelaf y wên yn disgyn.

'Aaaaaaaa!' Sgrech fyddarol, yn torri, fel cyllell dros y bwrdd. 'Aaaaa...' Mae pawb ar eu traed nawr, wrth i Shirley afael yn ei bol, mewn poen. 'Aaaaa!' Mae hi'n griddfan yn uchel – yn disgyn 'nôl yn erbyn ei sedd. 'Aaaaa!'

'Ffonia am ambiwlans!' gwaedda Dad o'r diwedd. 'Ffonia am ambiwlans – glou!'

★ ★ ★

Mae'n teimlo fel pe bawn i wedi bod yn eistedd yma am byth. Mae Anti Helen yn yfed ei chanfed cwpaned o goffi ac mae Mani'n brasgamu 'nôl a mlaen ar y teils caled.

'Be sy'n digwydd, Anti Helen...' Cydiaf yn ei llaw. Teimlaf yr ofn yn cripian ar hyd asgwrn fy nghefn.

'Y babi... Maen nhw'n meddwl fod y babi wedi cyrraedd yn gynnar...' Gallaf glywed y pryder yn ei llais.

Meddyliaf yn ôl at y ffrae ar draeth Bondi. Meddyliaf am y gweiddi a'r sgrechian a finne'n dweud wrth Shirley a Dad a'r byd i gyd fy mod i'n casáu'r babi. Yn eu casáu nhw i gyd. Dwi'n teimlo'n euog. Mor euog. Meddyliaf am Anti Helen a Coreen a Kiah. Meddyliaf am y bedd unig yn y fynwent dlawd. Caeaf fy llygaid. Dwi ishe i'r babi yma fyw yn fwy na dim byd yn y byd. Plîs. Plîs, ymbiliaf. Dwi ishe i'r babi fyw.

Mae'r cloc yn tipian yn y tawelwch. Tic-toc. Tic-toc. A does dim byd yn digwydd. Tic-toc. Tic-toc. Plîs, ymbiliaf. Plîs.

DIAL

Mae cannoedd o blant mewn gwisgoedd nofio a chapiau Nippers amryliw wedi ymgasglu ar y traeth o flaen Clwb Syrffio Bondi. Does dim llawer o le yma i folaheulwyr na syrffwyr na thwristiaid heddiw... dim ond Nippers eiddgar a rhieni brwd.

Mae rhes o bolion llachar wedi cael eu dotio ar hyd y tywod ar un pen y traeth – yn eu lle'n barod ar gyfer y ras gyfnewid – ac mae baner anferth gyda'r gair '*Finish*' mewn llythrennau breision du, wedi cael ei hongian rhwng dau dŵr metel uchel uwch ein pennau. Mae'r cyffro yn cylchdroi o'm cwmpas – dwi bron yn gallu cyffwrdd a gafael ynddo. Mae e'n chwyddo yn yr awyr fel balŵn heliwm anferth. Ar fin byrstio.

Mae Seb yn gwneud *press-ups* gyda'i ffrind gore, James; gwelaf Kate yn ymarfer ei thechneg o gydbwyso ar ei *surfboard* ar y tywod; mae Breaks a Peter yn trafod tactics wrth gerdded ar hyd ymyl y môr; ac mae Mani yn loncian yn yr unfan ar ei ben ei hun. Maen nhw i gyd yn canolbwyntio'n galed, yn meddwl am yr ornest fawr o'u blaen.

A fan hyn, ger y Clwb Syrffio, mae'r rhieni wedi dechrau ymgasglu mewn carfanau gwahanol – pob un yn cefnogi tîm neu grŵp gwahanol o blant. Sylwaf ar y rhieni smart o'r barbiciw yn nhŷ'r Wilsons yn sefyll yn anghyfforddus ar y tywod yn eu siwtie crand a'u sodle uchel; rhieni Breaks a Peter, yn sipian cwrw ac yn bwyta picnic ar y borfa; ac Anti Helen yn sgwrsio gyda rhieni Kate yn y maes parcio. Diolch byth, meddyliaf, wrth weld Dad a Shirley yn gwthio'r pram yn hamddenol ar hyd y prom. Diolch byth nad ydw i'n gorfod bod yn rhan o'r cystadlu hyn!

Mae sŵn chwiban yn trydanu'r awyr, a'r cystadleuwyr yn rhedeg tuag at fynedfa'r Clwb Syrffio. Mae Sam, un o hyfforddwyr y Clwb, yn sefyll ar y grisiau o flaen bwrdd ac arno res hir o dystysgrifau a medalau a gwobrau. Mae meicroffôn yn ei law. ·

'Croeso bawb i Gala Flynyddol Clwb Syrffio Bondi!' cyhoedda'n uchel wrth i bawb weiddi a chymeradwyo. 'Croeso arbennig i aelodau clybiau Nippers eraill y ddinas…'

'Bwwww…'

'Ond wrth gwrs, ry'n ni i gyd yn gwybod mai criw Bondi fydd yn ennill beth bynnag!' ychwanega wedyn, yn ddireidus. 'A nawr at y rheolau.' Pesychiad pwysig. 'Bydd tair rownd ragbrofol yn arwain at y brif ras am un o'r gloch prynhawn 'ma. Ras nofio fydd uchafbwynt y diwrnod – bydd disgwyl i'r cystadleuwyr a fuodd yn llwyddiannus yn y rowndiau rhagbrofol nofio at y bwiau nofio…' Mae e'n pwyntio at ddau fwi oren ymhell, bell mas yn y dŵr. 'Ac yn ôl. Y cystadleuydd cynta dros y llinell derfyn fydd y pencampwr!' Mae e'n codi'r chwiban at ei wefusau unwaith eto. 'Ydy pawb yn barod felly?'

'Ydyn!' bloeddia'r cystadleuwyr gan ruthro i dynnu eu crysau-T, i dwtio'u hetiau, i roi ychydig bach yn rhagor o eli haul ar eu crwyn. Dof i eistedd wrth draed Sam ar y grisiau. Dydw i ddim yn gwisgo fy siwt Bondi heddiw. Dydw i ddim yn cael cystadlu. Ond mae gen i dasg bwysig, bwysig iawn, i'w chyflawni.

'Ar eich marciau. Barod. Ewch!' O'r stepen gwyliaf y rhes gyntaf o blant yn rasio ar hyd y tywod tuag at y polion gyda'r batonau metal yn disgleirio yn eu dwylo. Mae'r rhieni yn gweiddi enwau eu plant o'r lluman wrth i bob un ohonynt gymryd eu tro i frasgamu o gwmpas y polion a 'nôl at eu timau. Does neb yn cymryd sylw ohona i. Mae hyd yn oed Dad a Shirley wedi dod i wylio Mani – sy'n aros, yn aros yn awchus, i gael ei afael ar y baton.

Does neb yn sylwi arna i yn eistedd fan hyn. Codaf ddafnau o dywod yn fy llaw a'u teimlo nhw'n rhedeg, yn rhaeadru rhwng fy mysedd. Does neb yn sylwi arna i, yn eistedd fan hyn ar fy mhen fy hun bach. Does neb yn sylwi arna i'n gafael yn y camera fideo y gwnaeth Mani ei fenthyca o'r ysgol. Neb yn sylwi arna i'n cripian, cripian yn slei at ddrws y Clwb Syrffio. Does neb yn sylwi arna i'n agor y drws cyn llithro, yn llechwraidd i'r cysgodion.

Dwi'n sleifio drwy'r coridor tuag at brif ystafell y Clwb... Does neb yno a does neb yn fy ngweld i'n brysio at y rhes o *surfboards* gloyw, gwyn sydd yn pwyso fan yno – yn yr union le lle dwedodd Peter y bydden nhw – yn y gornel bellaf. Cydiaf yn ymyl dau o'r byrddau a'u gwahanu, fel pe bawn i'n agor llenni. Yna, yn ofalus, ofalus iawn gwasgaf i mewn rhyngddynt, a phlygu ar fy nghwrcwd yn y tywyllwch. Dwi'n teimlo'r nerfau yn chwyrlïo yn fy stumog ac mae fy mysedd i'n siglo i gyd, ond rywsut llwyddaf i dynnu'r camera bach o'r bag, ei osod yn ddiogel ar lawr, a gwasgu '*On*'.

Dwi'n teimlo fel pe bawn i'n chwarae 'cuddio' – fel pe bai Mani ar fin dod o hyd i fi a gweiddi 'Bw!' er mwyn datgelu fy nghuddfan i bawb. Ond does neb yn dod... Dwi'n cyfri'r eiliadau, y munudau – mae'n teimlo fel pe bawn i wedi bod yma am oesoedd.

Ac yna, yn sydyn, gwich. Y drws yn agor. Clywaf leisiau dau fachgen yn agosáu tuag ataf, eu lleisiau cwynfanllyd yn adleisio ar hyd y coridor…

'Sut! Sut gwnaethon nhw ennill? Hy? Ro'n ni wedi gwneud yn siŵr fod gan Mani dîm anobeithiol. *Ni* ddylai fod wedi ennill!'

'Paid â phoeni, Seb… ti'n gwybod nad oes unrhyw siawns ganddo fe i ennill y brif ras heddiw. Dim siawns yn y byd. Dim os yw ein cynllun ni'n gweithio…' Llais pwy yw hwnna tybed? Llais bachgen? Mae'n swnio'n gyfarwydd…

Trwy'r hollt rhwng y *surfboards* gwelaf eu traed noeth yn clepian ar hyd y llawr. Mae'r camera'n gwneud sŵn… fel sŵn tician… a dwi'n siŵr eu bod nhw'n mynd i sylwi arno. Sylwi arna i. Fan hyn. Yn gwylio.

'Cym on!' Mae Seb yn galw ar y bachgen arall i frysio. 'Cym on – sdim lot o amser 'da ni. Mae'r ras rwystr ar fin dechre unrhyw funud a dwi'n benderfynol…'

'Ocê… ocê…' medd y bachgen arall. Mae ei lais e'n agos iawn ata i nawr. Yn beryglus o agos. Yn sydyn gwelaf ei goesau. Reit o'm blaen i. Mae e'n plygu ar ei benliniau ar y llawr a gallaf weld ei wyneb yn glir drwy'r hollt. Yn gwbl glir. Mae ei drwyn o fewn hyd braich i mi. Ei lygaid o fewn smic i sylwi arnaf. James. James! Wrth gwrs. Wrth gwrs! Meddyliaf am y diwrnod hwnnw ger yr acwariwm – at y bachgen â gwallt tywyll, cyrliog yn gwyro ger y goeden Nadolig. Wrth gwrs! meddyliaf, a sylweddoli y byddai gwallt pigog James wedi meddalu'n donnau yn nŵr y pwll nofio. Wrth gwrs!

Teimlaf ei law yn llithro rhwng y *surfboards* a llwyddaf i wyro, i symud mas o'i ffordd jyst mewn pryd, wrth iddo afael yn rhywbeth wrth fy ymyl. Bag. Bag ysgol. Mae e'n ei dynnu tuag ato ac yn agor y sip. Gwyliaf e'n tynnu camera fideo allan o'i ddyfnderau. 'Pa un yw e?' Hola, gan godi ar ei draed a dechrau chwilio o gwmpas y bagiau eraill, sydd yn hongian ar y bachau o gwmpas yr ystafell.

'Hwn!' medd Seb, gan afael yn *rucksack* Mani. 'Glou!' meddai, gan stwffio'r camera fideo i'w berfeddion. Yna, o'r fan hon yn fy nghuddfan gwelaf rywbeth ofnadwy. Gwelaf Seb yn agor sip bag Mani led y pen... ac yn poeri, yn poeri i mewn i'w grombil.

'Ha ha!' Mae'r ddau'n chwerthin wrth ruthro 'nôl tuag at weddill y cystadleuwyr. 'Pan wnaiff Sam a'r rhieni eraill ddysgu fod gyda ni brawf – tystiolaeth – fod y diawl bach Aborigini drewllyd 'na wedi dwyn y camera fideo, yna bydd e mewn yffach o drwbwl! Trwbwl na all e ddim dianc rhagddo y tro hyn,' medd Seb yn fuddugoliaethus.

'A fydd 'da fe ddim siawns – dim siawns yn y byd – o dderbyn y wobr!' ychwanega James.

Estynnaf fy llaw am y camera. A gwasgu '*Off*'.

★ ★ ★

'Dwi wedi ca'l y dystiolaeth – dwi wedi ffilmio'r cyfan...' Rhedaf dros y tywod cynnes at Mani a Peter, sy'n chwifio eu breichiau'n wyllt yn yr awyr fel melinau gwynt. Maen nhw'n cynhesu eu cyhyrau'n barod am y ras nofio – ffeinal fawreddog y Gala.

'Ffantastig!' medd Peter yn gyffrous. 'Ti'n seren,' ychwanega, gyda winc.

'Odd e'n *scary*...' medde fi'n ddramatig. 'Ond roeddech chi'n iawn – roedd gan Seb a'i ffrindie gynllwyn cas i stopio Mani rhag ennill y wobr.'

Dwi'n brysio i ddweud y cyfan wrthyn nhw. Dwi'n baglu dros fy ngeirie wrth esbonio am James a Seb a'r camera fideo

a'r trap i ddal Mani. Maen nhw'n edrych arna i'n syn wrth i fi
siarad. Doedden nhw ddim yn gwybod fod Seb Wilson, hyd
yn oed, yn gallu bod mor gyfrwys ac mor dan din â hynna!
'Wir yr... ' medde fi, gan ddechre dweud wrthyn nhw fod
Seb wedi poeri i mewn i'w fag, wedi rhegi a defnyddio
geiriau afiach, ych-a-fi i ddisgrifio Mani. Oedaf. Yn sydyn
mae'r syndod wedi troi'n siom yn eu llygaid.

'Sut gallen nhw? Sut gallen nhw – sut medran nhw ddweud
pethe mor gas?'

'Paid ti â becso, Mani. Ry'n ni'n fwy na nhw. Yn fwy
na nhw. Paid ti â phoeni – daw ein cyfle ni i ddial. Gei di
weld.'

Cerddaf tuag at Dad a Shirley sy'n eistedd nawr, eu traed
yn hongian dros rimyn y llwybr concrit tuag at y traeth. Mae'r
babi bach yn gorwedd yn ddedwydd ym mreichiau cryfion
Dad. Rhoddaf gusan ysgafn ar ei boch a gosod camera fideo
Mani yn fy *rucksack*, heb iddyn nhw sylwi.

Erbyn hyn mae Sam wedi casglu'r holl gystadleuwyr sy yn
y ffeinal at ei gilydd yn un rheng rhwng y baneri coch a melyn
o flaen y Clwb Syrffio. Gwyliaf nhw'n tynnu eu gogls dros eu
llygaid. Yn clymu elastig y capiau bach yn dynn...

Sŵn y chwiban. Sŵn rhieni'n cynhyrfu. Sŵn plant yn
sblasho – yn deifio rhwng y tonnau ac yn cicio'u coesau'n
wyllt. Gwyliaf y breichiau'n chwipio'r dŵr ac mae hi'n anodd
gweld pwy sydd ar y blaen rhwng yr ewyn, y rhannau o gyrff
yn y golwg, a'r dafnau o ddŵr sy'n tasgu i bob man.

'Cym on, Mani!' bloeddiaf, wrth i'r cystadleuwyr dorri
drwy'r tonnau o'r diwedd a chyrraedd y môr llyfnach ym
mhen pella'r bae. Mae e ar y blaen! Ymhell ar y blaen, yn
nofio fel pysgodyn at y bwiau. Mae e'n cyffwrdd yn ymyl y
plastig oren, ac yn troi i nofio 'nôl tuag aton ni... Fe yw'r

114

cyntaf i droi a gwyliwn e'n gwau rhwng y plant eraill wrth nofio 'nôl tua'r lan.

'Cym on, Mani!' Mae Dad ar ei draed nawr – yn rhoi ei fysedd yn ei geg ac yn chwibanu. 'Cym on!' Wrth i bob un o'r plant eraill yn y ras hefyd ddechrau troi, un wrth un... 'Cym on, Mani!'

'Dere mla'n, Seb!' gwaedda Mrs Wilson.

Ac yna'n sydyn, dros sŵn y rhieni a'r plant a'r gwylanod – sŵn larwm. Yn torri fel newyddion drwg dros y traeth.

'Siarc!' Sgrechia rhywun. 'Larwm siarc!' Mae panig yn ymledu trwy'r dorf wrth i'r rhieni sefyll ar y traeth, yn gwylio'u plant yn nofio tua'r lan.

'Mani?' Gwyliaf ei gorff tenau yn codi gyda'r don tua'r dŵr bas. Mae e'n sefyll ar ei draed, yn rhedeg i'r tywod sych. Diolch byth! Un ar ôl un... Peter, Breaks, Kate, James... Dwi'n eu cyfri nhw'n cyrraedd 'nôl ac yn teimlo'r rhyddhad yn golchi drosof fel ton fawr gynnes. Ac yna, dwi'n sylweddoli. Mae 'na un ar goll. Fan'na. Yno, ger un o'r bwiau oren, mae bachgen unig – yn chwifio'i freichiau'n yr awyr ac yn gweiddi'n anobeithiol am help. Seb!

'Heeeeeeeeeeeelllp!' Mae ei waedd yn adleisio tuag atom.

'Seb!' Mae Mrs Wilson yn codi ei llaw i'w cheg wrth i Mr Wilson frysio i dynnu ei sgidie lledr sgleiniog a rhedeg, yn nhraed ei sane, at y dŵr. Mae Sam yn gafael mewn cylch achub ac yn llusgo'r jet-ski ar hyd y tywod.

Ond o gornel fy llygad gwelaf Mani. Gwelaf Mani yn codi ei law at ei lygaid ac yn sbecian ar Seb. Gwelaf e'n syllu – yn syllu ar y môr a'r tonnau a dwylo Seb yn chwifio yn wyllt ar y gorwel. Gwelaf e'n cau ei lygaid, ac yn tynnu ei gogls yn dynn unwaith yn rhagor drostynt. Gwelaf e'n codi eto dros ymchwydd y tonnau ac yn nofio, nerth esgyrn ei goesau, tuag at Seb.

★ ★ ★

Mae'r cyffro wedi distewi nawr, wrth i'r dorf ymgasglu ynghyd o flaen y Clwb Syrffio i wrando ar anerchiad diwetha'r dydd. Dwi a Mani a gweddill y criw yn eistedd ar y tywod yn y rhes flaen yn gwylio Sam yn brasgamu yn ôl ac ymlaen ar frig y grisiau – o flaen bwrdd llydan, ac arno res hir o fedalau a thlysau a chwpanau'n disgleirio yn haul y pnawn.

'Wel am ddiwrnod!' ochneidia Sam gyda gwên. 'Am ddiwrnod. Rwy'n falch o gyhoeddi fod pawb yn fyw ac yn iach a bod yr awdurdodau wedi cadarnhau nad oedd siarc wedi dod ar gyfyl y bae wedi'r cyfan... rhyw ymwelydd o bant oedd wedi dychmygu gweld rhywbeth. Ac am Seb – wel mi wnaeth e anafu ei goes wrth nofio ond mae'n dda iawn gen i ddweud ei fod yn iawn nawr. Diolch i Mani.' Gwelwn Seb yn hercian ar hyd y traeth ym mraich ei dad i gyfeiliant clapio hapus y dorf. 'Y newyddion drwg – fel ry'ch chi'n gwybod ,' meddai, 'yw ein bod ni wedi gorfod canslo'r Gala.'

'Bwww...' Mae'r dorf yn unsain.

'Fodd bynnag...' meddai, gan afael yn y cwpan aur prydferth oddi ar y bwrdd. 'Hoffai Clwb Syrffio Bondi ddyfarnu gwobr arbennig i un o'n haelodau ni heddiw. Efallai na wnaeth e ennill y Gala yn swyddogol ond mae e'n bencampwr – yn arwr – yn ein barn ni... Gyfeillion, rhowch gymeradwyaeth i...'

'Ti... ti yw e, Mani!' sibrydaf yn gyffrous gan wincio ar fy nghefnder.

'Esgusodwch fi.' Tawelwch, wrth i lais crynedig Seb darfu ar Sam. Mae pawb yn troi i syllu arno'n hercian, yn hopian ei ffordd at flaen y Clwb Syrffio. Gwyliwn e'n pwyso ar ei dad ac yn sibrwd rhywbeth yn ei glust, ac yna gwyliwn Mr Wilson yn rhedeg i fyny'r grisiau ac yn sibrwd rhywbeth yng nghlust Sam. Beth sy'n digwydd?

Rhewaf. Ydy'r amser wedi dod? Ydy Seb wir yn mynd i gyhuddo Mani nawr – fan hyn o flaen pawb? Does bosibl… dim ar ôl beth sydd wedi digwydd?

'Gyfeillion…' bloeddia Sam dros y lle. 'Mae gen i newyddion… Hoffwn i wahodd Seb i fyny at y meic. Hoffai e ddweud gair neu ddau.' Mae Mr Wilson yn helpu Seb i fyny'r grisiau at y meic a theimlaf y pili-palas yn chwyrlïo'n boenus yn fy stumog.

'Hy-hym…' Mae llais Seb yn grug, yn fwy tawel a nerfus na'r arfer. Mae e'n edrych ar Sam – sy'n trosglwyddo'r cwpan i'w ddwylo. 'Fel ry'ch chi'n gwybod fy nghwpan i oedd hwn! Fy nghwpan i oedd hwn, a doeddwn i ddim ishe'i weld e'n mynd i unrhyw un arall. Ddim ishe'i golli e.' Gwelaf y gwrid yn cripian ar hyd ei ruddiau gwelw, fel pe bai arno gywilydd. Cywilydd mawr. 'Tan nawr,' meddai, gan droi i wynebu Mani. 'Mae'n bleser mawr gen i gyflwyno'r cwpan hwn – i Mani!'

Mae Mani'n edrych yn hir i fyw llygaid Seb, yn sefyll ar ei draed ac yn cerdded yn araf bach i fyny'r grisiau carreg. 'Diolch,' medd Seb yn dawel, wrth i Mani gamu oddi ar y stepen olaf i fyny, nesaf ato, ar y llwyfan. 'A sori,' ychwanega, wrth i Mani gydio yn y cwpan. 'Sori.'

'Yeeeeeiiiiiiiiiiiiiiiiiiiiiiiiiiiiiiiii!' bloeddiwn dros y lle, wrth i Mani gusanu ei wobr. 'Yei!' Wrth i Mr Wilson godi Mani ar ei ysgwyddau a'i gario – fel arwr go iawn – i lawr y grisiau i ganol y dorf.

O gornel fy llygaid gwelaf James a Seb yn llithro'n dawel

i mewn trwy ddrysau pren y Clwb Syrffio. Dwi'n amau fy mod i'n gwybod lle mae e'n mynd. Dwi ddim yn meddwl y bydd neb yn dod o hyd i'r camera fideo ym mag Mani wedi'r cyfan.

Tynnaf y camera arall – y camera wnaeth Mani ei fenthyca o'r ysgol – o'm bag innau a pwyso ar y botwm '*Back*'. Clic. Gwyliaf luniau'r digwyddiadau yn y Clwb Syrffio yn gwibio heibio ar y sgrin. A gwasgu '*Delete*'.

★ ★ ★

O'r ardd gallwn weld y tân gwyllt yn tasgu eu cyffro dros yr awyr ddu, yn tywallt eu dafnau amryliw drwy'r tywyllwch ar yr harbwr islaw.

Rydw i a Mani'n lwcus. Rydyn ni wedi cael aros lan i ddathlu'r flwyddyn newydd gyda Dad, Shirley, Anti Helen – a'r babi newydd. Mae hi'n swatio'n gyfforddus yn y pram, ei gwefusau pinc yn sugno ar ei bawd. Mae hi mor, mor bitw. Rhedaf fy llaw dros ei gwallt melyn, meddal.

'Beth wnawn ni ei galw hi, Gwawr?' Llais Dad. 'Ry'n ni'n dal heb lwyddo i feddwl am enw ar gyfer dy chwaer fach di eto…'

'Beth am Yani?' awgryma Anti Helen, gan sbecian dros fy ysgwydd ar ei nith fach newydd.

'Yani…' medd Dad, gan rolio'r gair o gwmpas fel losin yn ei geg.

'Mae'n golygu heddwch yn iaith rhai pobl Aborigini,' esbonia Anti Helen.

'Hmmm… be ti'n feddwl, Gwawr?'

Dwi'n meddwl yn hir cyn ateb: 'Perffaith.'

O'r Tywyllwch

Roedd y byd yn dywyll. A du. A'r cymylau llwyd fel blanced, yn hongian, yn drwm a thrwchus, yn isel, isel dros y tir. Yn mygu'r byd. Yn rhwystro gwres a golau'r haul rhag deffro'r dydd.

O dan y düwch, roedd holl anifeiliaid y ddaear yn cropian yn ddigalon yn eu cwrcwd. Roedden nhw wedi cael digon ar fwrw eu pennau yn erbyn y tywyllwch bygythiol uwchben.

Doedd y Cangarŵ ddim yn gallu neidio ac roedd yr Emu'n gorfod gogwyddo ei wddf yn drist tuag at y ddaear. Dim ond y nadredd oedd yn hapus – roedd eu boliau nhw'n agos at y llawr, ac roedden nhw'n gallu ymlusgo'n llithrig drwy'r tywyllwch.

'Dwi ishe gallu dringo i ben coeden, a bwyta dail blasus!' protestiodd y Coala.

'Dwi ishe gallu sboncio'n hir ar hyd y ddaear – a brysio o un lle i'r llall!' cwynodd y Cangarŵ.

'Dy'n ni ddim ishe crafu ein traed ar y ddaear wrth hedfan!' crawc-crawciodd y Piod – y clyfraf o blith holl adar yr awyr.

'Hmmm...' meddai'r pen Bioden – arweinydd holl Biod y ddaear – o'r diwedd. 'Hmmm... dwi wedi cael syniad. Syniad ardderchog! Crawc! A wnewch chi helpu?' gofynnodd i'r holl anifeiliaid eraill.

Cytunodd yr anifeiliaid yn syth. Holodd y pen Bioden iddynt fynd ati felly i gasglu ynghyd bentwr anferth o ffyn – a dyna a wnaethant. Y naill ar ôl y llall, agorodd y Piod eu pigau miniog, main, gan gnoi, a gafael yn y darnau hir o bren. Yna, ar waedd y pen Bioden, dechreuodd y piod brocio'r cymylau gyda'r darnau. Procio a phrocio. Yn galed. Yn galetach. A gwthio, gwthio'r awyr gyda holl nerth eu pigau bach.

Ac yn araf, araf dechreuodd y ffurfafen symud... dechreuodd symud, a chodi – codi, yn uwch ac yn uwch tua'r nef.

A'r naill ar ôl y llall, dechreuodd holl anifeiliaid y bydysawd wenu. Yn araf, araf bach dechreuodd yr Emu ymestyn ei wddw; dechreuodd y Cangarŵ ymestyn ei goesau; dechreuodd y Coala ymestyn ei freichiau; a dechreuodd yr adar ymestyn eu hadenydd.

'Un ymdrech fawr eto!' crawc-crawciodd y pen Bioden yn uchel dros bob man. 'Nerth esgyrn eich pigau bach!' A gwthiodd yr adar gyda holl nerth eu pigau.

Ac yn sydyn, saethodd yr awyr i fyny – a hollti. Hollti'n ddwy gan agor a llifo gwres a golau dros y ddaear. Sythodd yr Emu ei wddf yn urddasol; neidiodd y Cangarŵ yn fuddugoliaethus; dringodd y Coala y goeden a chwyrlïodd yr adar yn yr awyr. Ymddangosodd yr Enfys-Neidr o'i bwll dŵr, a dechrau llamu o un pwll i'r nesa, gan daenu bwa llachar o liwiau o'i ôl. Yn un enfys ar ôl y llall.

Ac wrth i'r awyr hollti, sylwodd yr anifeiliaid ar rywbeth arall rhyfeddol y tu ôl i'r cymylau: merch brydferth, wedi'i haddurno â phaent melyn ac oren. Yr Haul Ferch yn deffro diwrnod arall.

Ac felly bob bore, fyth ers y diwrnod hwnnw, wrth